許すな⁉「緊急事態条項」

〝台湾有事〟!!
こうして、あなたは
〝殺される〟

木村正治［元東大阪市議］
船瀬俊介［渾身の解説］

まえがき

「今、日本人への支配強化が総仕上げの段階に入っている」と言われると、多くの人々は眉をひそめるだろう。

世の中が変わる時は一瞬である。

気が付けば憲法で保障されていたはずの言論の自由や表現の自由が制限され、政府に反対の意見を述べることも許されない世の中にされている。そうなってからでは後の祭りである。

しかし、その現実味が日に日に増している。憲法改正案と同時に進められている緊急事態条項の成立である。

今まさに民主主義という名目の下に独裁者が誕生しようとしている。

基本的人権や生存権、言論の自由が奪われることがあってはならない。

かつてワイマール憲法が機能しなくなり、ヒトラー政権が誕生した。その背景こそ今日で言うところの緊急事態条項であったことを忘れてはならない。

イーロン・マスク氏がツイッターの投稿で述べた言葉は衝撃であった。

「日本では出生数の2倍の人数がコロナワクチンにより殺されている」

年間出生数は今や80万人台を割り込むまでに激減しているが、その2倍といえば約160万人ということになる。

2021年春から接種開始されたコロナワクチンにより160万人の日本人が薬殺されているということなのか。

イーロン・マスク氏がわざわざツイッターで嘘を発表するだろうか。

これも陰謀論だとせせら笑うのだろうか。

周囲で知人や親族が倒れたという話がよく囁かれている。

これだけ薬殺されているのに日本人はなぜおとなしいのだろうか?

黙ってマスクを着用したまま疑うことを知らない。

サッカーワールドカップやワールドベースボールクラシック（WBC）には皆が結束してテレビ画面に向かって声援を送り続けるのだが、世の中の動向にはなぜかそれと同じような熱意が注がれない。


今の時代は何をされているのかが一切気付かれない、そのような方法でジェノサイドを行っていく。

見えない戦争である。

見えない殺戮である。

まさにステルスジェノサイドが進行中なのである。

まさかそのようなことはあるわけがない……。


あなたはそれでも疑うだろうか？

頻繁に行き交う救急車。

火葬が追い付かない薬殺された遺体の数々。

メディアには箝口令。

厚生労働省は大本営発表。

担当大臣が、

「コロナワクチンが危険だというのはデマだ」

と平然と言い放つ。

遺族の前で同じセリフを吐けるだろうか。


今の日本人は完全に飼い慣らされてしまっている。

なぜ、今の日本人はこのようにおとなしくなったのだろうか？

事実を知らされない。溢《あふ》れる情報が垂れ流しされているが、本当の話は遮断されている。

日本人自身も声を上げなくなっている。

何をされても権威に従順な日本人はそれを耐え忍びながらも受け入れていく。

そこを逆手に取られて更なる仕掛けがされていく。

今、私たち日本人に何が生じているのか。

私たち日本人と、それを取り巻く様々な状況や環境を考察していきたい。

人々が思考停止にされた中で世の中の仕組みが一気に変えられてしまい、アッと声を上げた時にはもう遅い。こういう事態にならないようにしなければならない。

あれよあれよという間に危機が訪れ、緊急事態となり、あらゆる権利や人権が制限を受けて、人々が管理と監視の下に置かれる世の中になりかねない状況である。

いつか来た道を繰り返してはならない。

一瞬にして日本が暗黒社会に転じないためには、私たち国民が主権在民、国民主権の自覚に立脚して社会的に言動を重ねていくことである。

政治家や官僚、経済界がことごとく支配階級の影響下に置かれて言いなりになっているこの状況で、日本を日本のまま存続させる最後の砦は国民主権の自覚に立つ私たち日本国民であることを見失ってはならない。

気が付けば国民の権利も人権も言論の自由も生存権も奪われてしまっているということがないようにしなければならない。

日本を日本のまま存続させるために……。
皆様と共に社会的に言動するべく思いを共有したい。

目次

第1章　日本はこれでやられた！テクノロジーや軍事技術で巨大地震は当たり前

第2章　日本人よ、気付け！ウクライナ問題とメディア情報の乖離

第5章　暗黒日本と緊急事態条項――なぜ危険か⁉　なぜ絶対に成立させてはならないのか⁉

第8章　TPP、緊急事態条項、次々と陥落させられる日本を超え、「陽はまた昇るために」できること！

カバーデザイン　森瑞（4Tune Box）
校正　麦秋アートセンター
本文仮名書体　文麗仮名（キャップス）

船瀬俊介

■「許すな?! 『緊急事態条項』」解説

ナチスの悪夢を忘れるな!

ススキノ事件と阿部定事件の〝隠しワナ〟

●大衆の目を逸《そ》らし、煽《あお》り、堕《おと》す

ススキノ首切り事件で、世情は騒然としている。

二〇二三年、七月、札幌の歓楽街ススキノのラブホテルで、若い女性が初老の男を殺害した。そして、その首を切断し持ち帰った。まさに、猟奇的事件である。

さらに、精神科医である父親、そして母親まで、事件に関与していたことが発覚。世間は騒然とした。

謎が謎を呼ぶ……。これほどのマスコミの好餌《こうじ》はない。

しかし、テレビ、新聞をまったく見ない私は、この怪奇事件をつゆほども知らなかった。

「……エッエー！　知らないのか？」

私の友人は、本当にびっくりして叫んだ。

「……テレビじゃ、毎日、放送してるぞ」

私はすぐに、あの阿部定《あべさだ》事件を連想した。

「……仲居であった阿部定が1936年（昭和11年）5月18日に東京市荒川区尾久の待合で、性交中に愛人の男性を扼殺《やくさつ》し、局部を切り取った事件」（『ウィキペディア』）

まさに猟奇的……。男女の痴情のもつれ。その異常な残忍性。いずれもススキノ事件と酷似している。世間が騒然としたのも当然だ。

さて、阿部定は切り取った愛人のペニスを隠し持ったまま逃亡。

「事件の猟奇性ゆえに、事件発覚後及び阿部定逮捕（同年5月20日）後に号外が出されるなど、当時の庶民の興味を強く惹《ひ》いた事件である」（同）

●農村の窮乏と二・二六事件

たかが男女の痴話殺人で、号外とは……。

まさに、マスコミは昔も今も、変わらない。

メディアの役割は三つある。（1）逸《そ》らす、（2）煽《あお》る、（3）堕《おと》す。

（1）大衆の目線を重大事実から逸らす。

（2）大衆の喜怒哀楽の心情を操作する。

（3）特定の標的の社会的名声を堕とす。

阿部定事件が起こった1936年2月には、二・二六事件が勃発《ぼっぱつ》している。

これは、陸軍青年将校たちによるクーデター未遂事件である。彼らは約1500人名もの下士官・兵士を率いて武装蜂起。大蔵大臣・高橋是清《これきよ》、内大臣・斎藤実。陸軍大将・渡辺錠太郎らが襲撃により死亡。警護の警官5名も犠牲になった。

軍部首脳は、これを「反乱軍」として鎮圧。首謀者の青年将校らと、その思想背景となった北一輝は銃殺刑に処せられた。それも、極秘軍法会議での即決判決。刑執行も判決わずか5日後。刑死17名。その他、自決2名。

●硝煙に消えた青年将校の叫び

青年将校ら決起の動機は、農山漁村の窮状を救うための憂国の情であった。

北一輝は「君側《くんそく》の奸《かん》を討て！」と唱えた。

それは軍国主義で肥大する利権を貪《むさぼ》る軍上層部、軍事産業などの輩《やから》を指す。

「……農村地域で広範にわたる貧困をもたらしている原因は『特権階級』が人々を搾取し、天皇を欺いて権力を奪っているためであり、それが日本を弱体化させている、と考えた」（『ウィキペディア』）

しかし、昭和天皇は、若者の純粋な訴えに耳を貸さず、彼らを「反乱軍」として裁断した。当時の日本大衆は、かれら若き将校たちの無念の叫びに、耳を傾けるべきであった。そうすれば「君側の奸」の正体が、はっきりとわかったはずだ。

そして――。二・二六事件から3か月後、阿部定事件が起こった。

庶民大衆の目は、一斉にそちらに向けられた。

わずか3か月前の日本を騒然とさせたクーデター未遂事件は、完全に忘れ去られた。

もはや、青年将校たちの銃殺刑も、その叫びも、日本国民の関心の埒外《らちがい》となった。

〝やつら〟は世界大戦まで自在に計画

●ススキノは台湾有事の布石

結論を言おう。当時の阿部定事件を民衆操作に利用した〝闇の力〟が存在する。

彼らはメディアの三要素「逸らす」「煽る」「堕す」を活用したのだ。

それは、日本を大陸侵攻に駆り立てた勢力だ。

わかりやすくいえば、イルミナティ、フリーメイソン・ディープステイト（DS）の国際秘密結社だ。（写1）

〝やつら〟にとって戦争こそ、最高ビジネス……つまり、金儲けなのだ。

国際金融と兵器産業――。両者にとって戦争は目

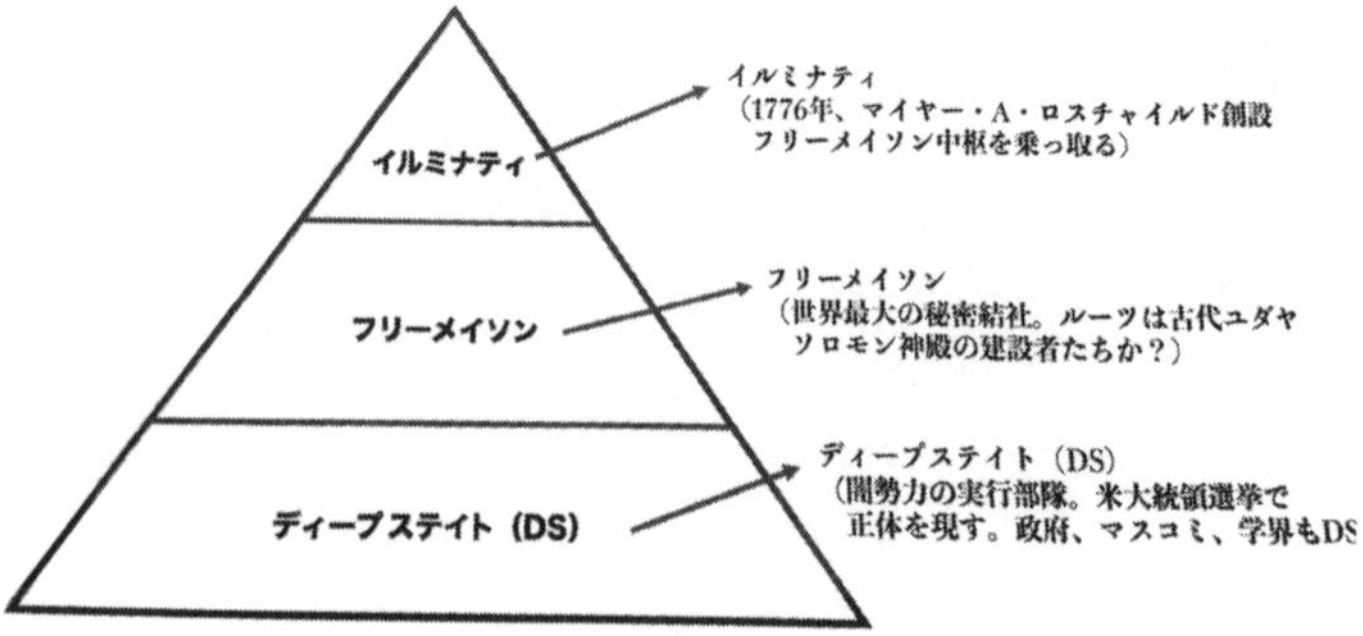
イルミナティ
フリーメイソン
ディープステイト（DS）
イルミナティ
（1776年、マイヤー・A・ロスチャイルド創設
フリーメイソン中枢を乗っ取る）
フリーメイソン
（世界最大の秘密結社。ルーツは古代ユダヤ
ソロモン神殿の建設者たちか？）
ディープステイト（DS）
（闇勢力の実行部隊。米大統領選挙で
正体を現す。政府、マスコミ、学界もDS

（写1）
■世界を裏から操る“闇の勢力”は三層構造だ

の眩《くら》む市場（マーケット）なのだ。

〝やつら〟の世界支配はピラミッド構造をなす。（写2）

当然、二・二六事件発生当時の日本もこの支配構造下に組み込まれていた。

だから、軍部もメディアも、両者の中枢は、とっくに支配されていた。

だから、大陸侵攻という〝やつら〟の〝利権〟から国民の目を逸らす目的で、阿部定事件は大々的に利用されたのだ。

なら、現在に戻ってススキノ事件は……？

メディアの熱狂を見れば、同じ深謀遠慮《しんぼうえんりょ》が潜んでいることに、すぐに気づくはずだ。

それは、恐らく台湾有事を捏造《ねつぞう》し、恐怖

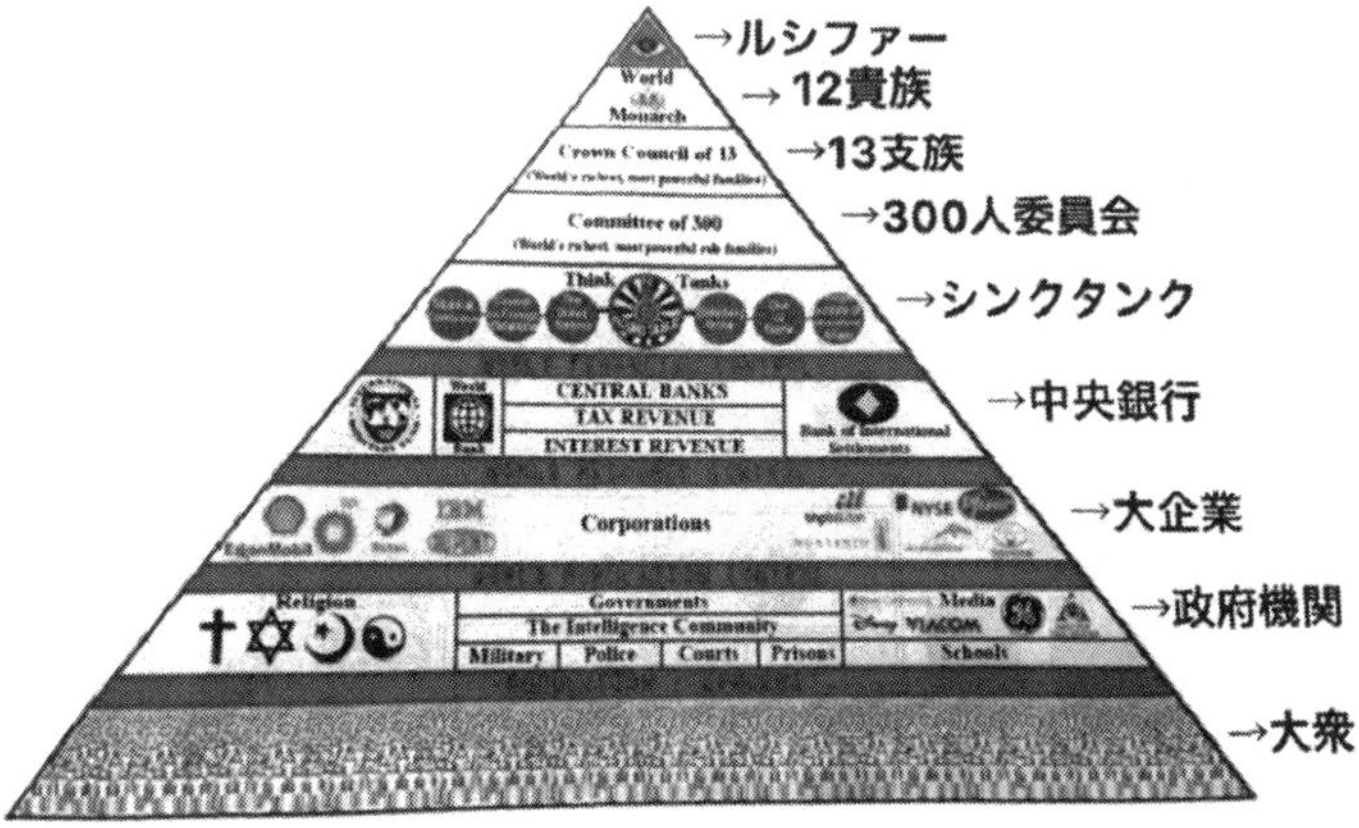

（写2）
■頂点に悪魔をいただく闇のピラミッド支配構造

で煽り、国民の目をそちらに向けるための〝仕掛け〟の一つだろう。大衆の目を逸らし、扇動し、世論を操作する。それは、〝やつら〟の常套手段だ。

●戦争、医療で〝金儲け〟〝人殺し〟

1723年、世界最大の秘密結社フリーメイソンの大憲章が採択された。

そこには「世界統一を目指す」と、彼らの最終目標が明記されている。

1773年、ロスチャイルド財閥の創始者マイヤー・アムシェルは、フランクフルトに欧州全域から12人の富豪を糾合し極秘会議を主催。そこで「世界統一政府を樹立する」と宣言。そのための25項目の戦略を樹立している。

さらに、マイヤーは1776年、秘密結社イルミナティを創設。しかし、1786年、ドイツ国王が解散命令を出したため、フリーメイソンに潜入、両者は密約を結ん

（写3）

■「第一、二、三次大戦は我々が起こす」（フリーメイソン“黒い教皇”）

だ。ここにおいて、二大秘密結社は合体し、最強の結社として今日に至る。統一後の世界を彼らは新世界秩序（NWO）と呼んでいる。

1871年、フリーメイソンの黒い教皇アルバート・パイク（写3）は「これから起こる第一次、二次、三次大戦は、フリーメイソンが計画して起こす」と宣言。（『A・パイク書簡』）

そして、恐ろしいことに、その後、世界大戦はパイクの予告通りに起こっているのだ。つまり、〝やつら〟は世界大戦まで自由自在に起こす力があった。

そして、実際に起こしてきたのだ。

連中の目的は「巨利収奪」と「大量殺戮《さつりく》」だ。そのために利用されたのが「戦争」と「医療」なのだ。どちらも〝金儲け〟と〝人殺し〟が目的だ。

●二三〇年戦争三昧！　狂気のアメリカ

人類の死因第1位は〝医原病〟だ。つまり、人類をもっとも多く殺しているのは〝医者〟なのだ。近代医療を支配したロックフェラー財閥は、医療を「大量殺戮」兵器に変えてしまった。だから、抗がん剤もワクチンも超猛毒なのだ。

目的は〝殺す〟ことだから、死ぬのは、あたりまえ。クスリで死んだ。抗がん剤で死んだ。ワクチンで死んだ。騒ぐほうがおかしい。

連中は〝殺す〟ために打っているのだ。考え違いをしてはいけない。

ここまで言っても、マサカ……と、首をふる人がいる。

あまりにもばか正直で救いがたい。日本人は、お花畑に住む、極楽トンボである。

〝闇勢力〟のメシの種は「医療」と「戦争」なのだ。

やつらにとって大量殺戮と大量利益は、やめられない、とまらない。

それは、アメリカを見ればわかる。アメリカ合衆国は、〝闇勢力〟が創った実験国家だ。独立宣言に署名した56人中53人がフリーメイソンだった。

そのアメリカは、建国以来２４７年中２３０年間はどこかと戦争をしている。

目的は「アメリカの利益のために、他国から資源や財産を略奪する」「アメリカの現体制が続くならば、連中は必ず同じことを繰り返す」（ベンジャミン・フルフォード、『ザ・フナイ』Ｖｏｌ．１９１）

台湾有事で日本を第二のウクライナにする

●岸田首相はＤＳの繰り人形

〝闇の勢力〟は、世界大戦まで自由自在に起こしてきた。

なら、大戦の狭間《はざま》にある革命、内乱、内戦などを起こすのは、じつにかんたんだ。

だから、ナポレオン戦争からアヘン戦争、南北戦争、幕末戦争……さらには、日清・日露から太平洋戦争まで、全ては彼らの巧妙なシナリオによって引き起こされたのだ。

第二次大戦後も同じ。朝鮮戦争、ベトナム、中東戦争……あげていたらキリがない。

いうまでもなく、ウクライナも〝やつら〟（ＤＳ）が仕掛けて、プーチンを引きずり込んだ戦争だ。

そして、ウクライナに続く台湾有事こそが、〝やつら〟の次なるシナリオなのだ。

ゼレンスキーは、誰が見ても欧米ディープステイトの傀儡（繰り人形）である。

岸田首相も、誰が見ても欧米のパペットだ。彼は日本を〝闇勢力〟に売り渡した。

コロナワクチン一つ見てもわかる。彼は、日本人の命を差し出した。

さらに、若者たちの命を差し出そうとしている。

犠牲になるのは若き自衛隊員たちではないか。

かつて自民党の田中角栄総理は、憲法九条を盾に、自衛隊のベトナム派兵を拒絶した。韓国は、そうはいかなかった。米韓の軍事同盟（集団的自衛権）の頸木《くびき》に引きずられてベトナム派兵を強要された。こうして、韓国兵たちは望みもしない泥沼ベトナム戦線で約7000人もの若き兵士たちが命を落とした。

●ウクライナは悪魔戦略の拠点

ウクライナは悲劇の国である。

DSにより利権の巣窟と化した。まさに、奪い放題、盗み放題……。

「……ウクライナは、カバール（闇勢力）の世界最大の拠点の一つであり、ナチスとの強い結び付きがあります。児童売買や性売買は桁外れの多さで、犯罪拠点なのです。2022年、プーチン率いるロシア軍は、カバールの本丸であるウクライナの犯罪拠点を解体しているのです。市民を虐殺しているのは、ロシア軍ではなく、ウクライナ

のネオナチです」（佐野美代子氏『世界の衝撃的な真実：闇側の狂気』ヒカルランド）

日本国民のほとんどは「初めて聞いた！」と愕然《がくぜん》とするだろう。

当然である。新聞、テレビの連日の報道とは、真逆《まぎゃく》だからだ。マスコミと政府は、

連日、プーチンは悪魔、ゼレンスキーは正義……と報道している。

これを、〝洗脳〟という。日本がウクライナ同様、悪魔の戦略で占領されているから
だ。

「……近年、ウクライナではマネーロンダリングや児童売買犯罪の拠点、九つの生物兵器研究施設、武器工場、麻薬工場、アドレノクロム精製施設など、カバールの犯罪拠点になっています」（同）

●日本の平和憲法を叩き潰《つぶ》せ！

日本はウクライナの悲劇の後を追っている。

世界はとっくにコロナ偽パンデミックを見抜いている。

だから、mRNAワクチン接種も、2回目以降はストップ。5回、6回……と打っているのは日本人だけ。公式発表の接種率85%は、断トツのワーストワンだ。

そして、いまだ8億人分以上のmRNAワクチンが残っている……！　なのに、国内でmRNAワクチン製造工場を新たに建設……⁉　その上、日本版CDC（米疾病予防センター）設立やNATO事務局設置などの計画が次々に明らかに……。

これは、欧州で弱体化するDSが、極東の日本に拠点を移そうとしているとしか思えない。つまり、日本はDSの砦として狙われている。はやくいえば、日本乗っ取り計画だ。こうして、日本は第二のウクライナとして、〝やつら〞の生け贄《にえ》にされる。

そのため、〝やつら〞にとって最大の障害が日本国憲法なのだ。

とりわけ、第九条「戦争放棄」の平和条項は、今すぐにでも潰《つぶ》して廃棄したい。

そのため、〝やつら〞が企《たくら》むのが緊急事態条項だ。

緊急事態を〝宣言〞して、憲法を停止（廃棄）する。

〝やつら〞が描くシナリオは、台湾有事すなわち中台戦争を引き起こし、戦線を沖縄にまで拡大する。こうして、〝本土攻撃〞を演出して、内閣は緊急事態条項を発動する。つまり、「憲法機能の一次停止」だ。

それは「永久停止」となることはまちがいない。

すると、一夜にして憲法の保障する「基本的人権」「国民主権」「平和主義」の三本柱は、いともたやすく崩れ落ちる。

独裁者ヒトラーは、こうして誕生した

●民主的ワイマール憲法の悲劇

一夜にして憲法停止……。

そんなことが可能なのか？

ありうるのだ。

悪夢を現実に変えたのがヒトラー、ナチスだ。

第一次大戦の反省に立ち、ドイツは世界で最も民主的とされるワイマール憲法を成立させた。

1919年、施行。その特徴は「国民主権」「男女平等」「普通選挙」「生存権」の確立、「所有権」の保証……など。まさに、今から見ても憲法の理想版で、日本国憲法の「ひながた」と

（写4）
■英国スパイ養成機関で演説の特訓を受けていた

もいえる。

その憲法が、一夜にしてヒトラー、ナチスにより瓦解したのだ。

アドルフ・ヒトラーは、国民社会主義ドイツ労働者党（別称、ナチス）、党首として1933年、首相に指名されるや、悪魔の本性をむき出しにした。

1924年、国勢選挙では、ナチス獲得票は、わずか3％。それが、32年、最大多数33％を獲得。33年、ドイツ首相の座を獲得した。（写4）

1934年、ヒンデンブルク大統領の死去に伴い、大統領権限も奪取。

以来、ヒトラー総統として君臨する。

「ヒトラーという人格がドイツ国の最高権力である三権を掌握し、ドイツ国における全ての法源となる存在」となった（『ウィキペディア』）

●自作自演、国会焼き打ち事件

この経緯に、日本人なら、だれでもア然とする。

世界でもっとも民主的であったはずのワイマール憲法は、どこに消えたのか？

なぜ、このような冷酷な悪魔的独裁者の出現を許したのか？

それが、国会焼き打ち事件だ。（いうまでもなくナチスの自作自演）

内閣発足わずか2日後の2月1日、ヒトラーは議会を解散。議会選挙を3月5日とした。そして——。2月27日深夜、国会議事堂から火の手が上がった。国会が何者かに放火されたのだ。ヒトラーとゲーリングは、ただちに「共産党が放火した」と声明を発表。「共産主義者たちの蜂起だ！」と煽り、即日、共産主義者たちの大量逮捕に踏み切った。翌28日、当時の大統領ヒンデンブルクに要請し、憲法の基本的人権条項を停止。共産党員などを法手続きなしに逮捕できる「大統領緊急令」を発令させた。

まさに、緊急事態を口実に、憲法破壊に着手したのだ。

●「全権委任法」「政党禁止」の悪夢

こうして、国会選挙は実施され、ナチ党は45％の議席を獲得した。それも、当然だ。共産党員は逮捕・拘禁され、その他、反対政党の議員たちも逮捕。さらに、これら議員を「議会に出席したが、投票参加しなかった」と見なすよう議員運営規則を改正。そのため、ナチ党は憲法改正に必要な三分の二議席の〝賛成〟を自動的に獲得できるようになった。3月23日、国家人民党と中央党も動かし、新国会で「全権委任法」を可決させた。つまり、ドイツ国家の全権力は、ヒトラーに委《ゆだ》ねられたのだ。

これで議会と大統領の権限は、形骸化した。

さらに、ヒトラーは7月14日、ナチ党以外の政党を禁止した。

12月1日にはナチ党と国家は不可分の存在であると宣言した。

こうして、34年、ヒンデンブルク大統領の死去に伴い、彼は全権を掌握した総統の地位を得たのだ。

総統は「……国家や法の上に立つ存在であり、その意思が最高法規となる存在である」とされた。こうして、悪魔の独裁者が出現した。

ファシズムの足音が聞こえる

●国会焼き打ち、9・11、〝偽旗作戦〟

「国会焼き打ち事件」……これほど、ヒトラーの悪魔性、狡猾性を物語るものはない。

これを、俗に〝偽旗作戦〟と呼ぶ。

自分で自分を攻撃して「あいつがやった」と敵を攻撃する口実にする。

古来から戦争を起こす時に、しばしば用いられる謀略だ。

たとえば——。真珠湾攻撃。これは、アメリカのDSが計画し、日本側の工作員、山本五十六らにやらせたものだ。ベトナム戦争でも、〝偽旗作戦〟はよく使われた。代表的なものが、トンキン湾事件だ。米軍は、自らの駆逐艦に魚雷を発射して破壊し「北ベトナムの攻撃」と嘘の発表を行い、〝報復〟として北ベトナムを徹底爆撃した。

さらに驚愕すべきが9・11だ。自らニューヨーク・ツイン・タワーを〝破壊〟して、「アルカイダがやった」と偽情報をばらまいた。

目的はアフガニスタンなど中東産油国を侵略し、石油資源を奪う口実としたのだ。

アメリカは「テロとの戦い」を叫び、「愛国者法」を成立させ、逮捕状なしで、市民を大量逮捕・拘禁した。まさにヒトラーのやり口と同じ。

そのため、〝テロ〟が頻発してくれないと困る。そこで、ボストン・マラソンで爆発テロ、パリ爆発テロなど、自作自演劇を繰り返し、それをメディアで放映させ、世界の人々の恐怖を煽った。このとき活躍するのが〝被害者〟を演じるクライシス・アクターたちだ。売れない役者が、血糊を体に塗って泣き叫ぶ。

それを、テレビ取材で撮影させ全世界に放映し、テロの恐怖を煽るのだ。

日本人のようなバカ正直な国民は、コロリとだまされ、かんたんに〝洗脳〟される。

●ヒトラーは英国スパイだった

ホロコーストだけでなく、ヒトラー・ナチスの悪行は、今日では誰でも知っている。

しかし、多くの人が知らないことがある。それは、ヒトラーの正体だ。

『ヒトラーは英国スパイだった！（上下）』（ヒカルランド）という驚愕の告発書がある。（写5）そもそも、ヒトラーはライオネル・ロスチャイルドの孫なのだ。

（写5）

■世界は騙されていた。驚愕事実……！

ロスチャイルド家に下女として働いていたヒトラーの祖母がライオネルに犯されて生まれたのがヒトラーの父親。彼が26歳も年下の姪を犯して産ませたのがヒトラーなのだ。まさに、呪われた血脈……。

ロスチャイルドはユダヤ財閥の一族だ。

だから、ヒトラーもユダヤの血を引く。

それが、ユダヤ人撲滅を唱え、大量殺戮を繰り返した。まさに狂いに狂った盲動だ。

それどころか、ヒトラーは若い頃、英国のスパイ養成期間で訓練を受けている。

つまり、ヒトラーの正体は、英国スパイだった。

「……カバール（闇勢力）は、ヒトラーをロンドンのタヴィストック研究所で学ばせました。そこで、彼は将来の演説の訓練を徹底的に受けていたのです」（佐野美代子氏〈前出〉）

●金儲けと人殺しの壮大なゲーム

これで、ヒトラーとナチスの正体も、鮮明にばれた。

両者を育てたのは、イルミナティ、フリーメイソン、ディープステイトの三層支配組織だった。

「第一次、二次、三次大戦は、フリーメイソンが計画して起こす」と宣言したパイクの予告を忘れてはいけない。

俯瞰し、大局的に見れば、第二次大戦そのものが、〝闇勢力〟が仕掛けた壮大な〝ゲーム〟だったのだ。目的は「巨利収奪」と「人口削減」だ。

世界大戦という膨大な兵器と金融の市場で、〝やつら〟は目も眩《くら》む巨利を得た。

他方で、「人口削減」ノルマ、約1億人を達成できた。まさに、願ったり叶ったり。

無論、ヒトラーもそのゲームの主要な駒として育てられ、使われたにすぎない。

〝闇勢力〟は、この功労者を死なすわけがない。身代わりを射殺し、ガソリンで焼いて、本人はUボートなどで南米に逃れ、悠々自適の余生を送っている。

●一夜で天国は地獄に変わる

――こうして、壮大無比の騙《だま》しと殺しのゲームは、繰り返される。

ウクライナは、このような悪魔勢力の犠牲となった。

次に〝やつら〟が狙っている標的が日本なのだ。

「……平和憲法があるから、戦争に巻き込まれない」

それは、あまりに甘い考えだ。

ヒトラー・ナチス台頭後のワイマール憲法の末路を見よ。一夜にして天国は、地獄に変わる。かのドイツ国民が辿《たど》った狂気と悲劇を繰り返してはならない。

地獄への切符が、「緊急事態条項」だ。ヒトラーの演説を思い起こせ。

「……ドイツ国民の財産と生命の危機だ！」「偉大なドイツ国民よ立ち上がれ！」

真の危機は、ヒトラーの存在そのものだった。

しかし、恐怖と熱狂の暴走は、国家や民族をも滅ぼすのだ。

……いま、遠く近く……ファシズムの足音か聞こえる……。

ＢｒｉｃＳ台頭！　世界は歴史的転換に突入した

●三次大戦の布石イスラエル建国

〝闇の勢力〟（ＤＳ）は、第一、二次世界大戦まで、計画し、実行してきた。（20ページ『アルバート・パイクの予告』参照）

そして、第三次世界大戦の火種として、パレスチナにイスラエルを建国した。

そのシオニズムの目的は、明白だった。表向きは大イスラエル帝国の建国である。

父祖の地カナンにソロモン神殿を再建し、かつての民族の栄光を復活させる。

これ自体が、あまりに得手勝手な理論だ。そして、その地に住んでいたパレスチナ人たちを威嚇、脅迫、虐殺して追放した。その屁理屈が呆れ果てる。

「……われわれの先祖が三〇〇〇年前に住んでいた。だから、出て行け！」

国際法から言っても狂気の強要だ。

しかし、イスラエル中枢を占めるDSは傲然《ごうぜん》と言い放ったのだ。

「この土地は、絶対神ヤハウェーがユダヤ民族に授けた土地だ」

無理無体、極まれり。この盗人《ぬすっと》たけだけしい脅迫をアメリカは全面支持した。

そのアメリカ自体が、フリーメイソンが建国した国家なのだから当然だ。

こうして……人種、民族、宗教、言語、風俗……まるで異なるアラブ国家の中枢にイスラエルは〝建国〟されたのだ。

●中東での戦火はくすぶり続けた

1871年、フリーメイソンの〝黒い教皇アルバート・パイクは、こう予告している。「……第三次大戦は、シオニストとアラブ諸国の対立を利用して、イルミナティの工作員が引き起こす」

なんと、約100年前に、すでにイスラエル・アラブ間の戦争を、これほど露骨に予言しているのだ。それもあたりまえだ。すべての計画は、このときから、すでに始まっていたのだ。アラブ民族の土地を奪い、勝手に建国宣言をする。

それは、まさにアラブ民族への〝宣戦布告〟だ。こうして、第一次中東戦争が勃発し、それは第四次まで続いた。〝やつら〟が望んだのは、この中東の戦火が全世界に拡大することだった。

こうして、第三大戦を目論《もくろ》んだのだ。しかし、それは不発に終わった。焦ったかれらは、9・11をでっちあげ、湾岸戦争を仕掛け、戦火を世界に拡大しようとした。

しかし、三次大戦の火種とはならなかった。

それでも〝やつら〟が中東で仕掛けた火種は、くすぶりつづけてきた。

●産業革命に匹敵するＢｒｉｃｓ台頭

2023年、世界は激動期に突入した。

それがＢｒｉｃｓの台頭である。

ブラジル、ロシア、インド、中国、南アフリカ……このいわば〝有色人種〟連合に、続々と第3世界の国々が参加の名乗りを上げげいる。

そして、見るまに〝グローバル・サウス〟と呼ばれる「第3世界経済圏」を形成している。

きっかけとなったのは、ウクライナ戦争だ。これを仕掛けたのはいうまでもなくイルミナティ、フリーメイソン、DSの三層構造をなす〝闇勢力〟だ。

いいかえると悪魔（ルシファー）を頂点にいただき、新世界秩序（NWO）を目指す連中だ。具体的にはG7だ。その基盤はNATO、EU諸国である……。

はっきり言ってしまえば、白人国家だ。

これら白人支配に対して、全世界の有色人種国家が〝NO!!〟を突き付けた。

それがBricsの急激な台頭となった、2023年8月22日、南アフリカのヨハネスブルグで、Brics代表者会議が開催された。

この時点で、すでに二三か国が参加申請している。世界の動向を見ると、約八割近い国々がBricsに賛同あるいは参加の意思を示している。

ある学者はBrics台頭を「産業革命に匹敵する歴史的大激変」とみなしている。

コロナとウクライナでばれた〝悪魔〟の企み

●……もう、白人にだまされない

Ｂｒｉｃｓ台頭の引き金となったのが、皮肉なことに〝闇の勢力〟が仕掛けたウクライナ戦争だ。さらに、偽パンデミックで悪魔の存在がばれた。

背後の〝闇の勢力〟を知っていた第三世界の国々は、〝やつら〟が提唱したロシア制裁に反対あるいは保留した。この露骨なイルミナティのロシア叩きに、約八割もの国々が、その背後の悪意を見抜き反発したのだ。

――「世界人口を五億人にする」「全人類を家畜支配する」――

まさに、悪魔（ルシファー）の企みだ。〝やつら〟は、まさに悪魔教の信徒なのだ。

悪魔勢力が地球を乗っ取ろうとしている。

これまで、植民地主義、帝国主義……で蹂躙《じゅうりん》されてきた国々は、もうはっきりと気づいた。だから、Ｂｒｉｃｓに殺到している。

「……もう、だまされない」

まったく、気づかなかったのは〝お花畑〟に住むお人好しの日本人だけだった。

〝制裁〟に、まっさきに手を上げた岸田首相は、白人国家のペットである醜態を全世界にさらした。

Ｂｒｉｃｓ台頭の背景は根深い。

約500年にわたる大航海時代以降の白人支配の悪夢と屈辱が、これら数多くの国々を動かし、団結させたのだ。

ローマ法王は、約500年も前に戦慄の勅令を出している。

それは――。

「神は許される。異教徒の国家を滅ぼし、土地を奪い、命を奪い、富を奪い……そして、奴隷とすることを」

まさに、〝悪魔〟の御墨付きである。「神がすべてを許された！」。

こうして、まず宣教師が、ほほ笑みとともにやってきた。そして、現地人の〝心〟を奪った。次の証人たちが揉《も》み手で、意気揚々とやってきた。そして、現地人の〝物〟を奪った。最後に、完全武装の軍隊がやって来て〝国〟を奪った。

●ドルの暴落、米欧の没落が始まった

この500年来にわたる恨みつらみが、ついに噴出した。

それが、Ｂｒｉｃｓの爆発的台頭、隆盛なのだ。

二〇二二年には、それを象徴するインド映画が公開された。

『RRR』。意味は（ライズ：蜂起、ロォー：咆哮、リボルト：反撃）。

大英帝国の圧制に反抗し、独立をめざす英雄と民衆を描いた傑作だ。

まさに、血湧き肉躍る。

そのマグマのような怒濤《どとう》と希望は、もはや白人たちには止められない。

Ｂｒｉｃｓの爆発的成長は、まさに人類史を根底から覆《くつがえ》そうとしている。

２０２３年６月には、一瞬でアラブ同盟が再興された。これまでＤＳの策謀で分断、敵対させられてきた中東諸国は、白人たちの悪意作為に完全に気づいたのだ。

とうぜん、全アラブ諸国はＢｒｉｃｓへの参加を表明している。

Ｂｒｉｃｓ台頭と反比例してドル支配体制も崩壊に向かっている。

アメリカが軍事力で強要してきたドル石油体制は、もはや完全崩壊した。

それは、ドルの凋落、アメリカの崩壊を意味する。

追撃するようにＢｒｉｃｓ代表者会議は、Ｂｒｉｃｓ新通貨の発行を宣言している。

それは、金本位制に裏打ちされる。Ｂｒｉｃｓ諸国は、資源大国だ。資源に裏打ちされた新通貨は強い。資源の裏打ちのないドルは弱い。Ｇ７凋落とともにドルの暴落は時間の問題だ。それは、世界を支配してきた米欧の没落を意味する。

〝台湾有事〟は、こうして、でっち上げられる？

●悲願の第三次世界大戦

〝闇勢力〟は追い詰められている。

欧米には後がない。G7の国々は、燃料不足、資源不足に加えて、超インフレ、暴動、犯罪などに脅かされている。まさに国家崩壊の危機に瀕しているのだ。

だから、〝やつら〟は焦っている。

〝かれら〟が望むのは、アルバート・パイクが予告した第三次世界大戦の勃発だ。

これにより、すべてをチャラにできる。まさに、〝グレート・リセット〟だ。

最終的には、全面核戦争ですら、まさに〝望むところ〟だろう。

すでに、イルミナティは全世界に500カ所以上に地下都市を建設している。

それは、高速トンネルで結ばれている、という。地上が放射能汚染されても、〝やつら〟は地底都市で生き残るつもりなのだ。地球人口5億人以下……という、〝悲願〟

も達成できる。ここまで書いたら、それは狂気の沙汰ではないか、と呆れ返るだろう。

しかし、〝やつら〟は、その狂気を第一次、二次世界大戦で、実行に移してきたのだ。この恐るべき事実を忘れてはならない。

ちなみに、第二次大戦の〝ノルマ〟は、1億人の〝人口削減〟だった。

これは、キチンと達成された。

●日本を第二のウクライナに

〝やつら〟が起死回生の策として狙っているのが、〝台湾有事〟だ。

「……日本を第二のウクライナにする」

これは、既定路線である。だから、日本にNATO事務局やCDC（米疾病予防センター）を設置する。〝やつら〟は世界支配拠点を欧米から極東の日本に移そうとしている。それは、いい変えると日本列島の乗っ取りだ。国家〝ハイジャック〟が着々と進んでいる。悲劇の国ウクライナは、悪魔勢力の利権草刈り場と化した。

この地を食い尽くした悪魔勢力が、次に極東の緑の列島に狙いを定めたのだ。

●中台戦争で血を流すのは日本

〝やつら〟が企《たくら》むのは、第二のウクライナ戦争だ。

いうまでなく〝台湾有事〟――。

〝やつら〟はロシアを戦争に引きずりこんだように、中国を戦場に引きずりだす。

わかりやすくいえば、習近平つぶしだ。

現代世界の対立軸は、〝闇の勢力〟VS〝光の勢力〟だ。

〝闇〟は悪魔勢力グローバリストであることは、いうまでもない。

それに対抗する〝光〟側はローカリストだ。筆頭はトランプ、プーチン、習近平だ。

三人はいわば盟友だ。そして悪魔勢力は、大統領選挙不正でトランプをつぶした。

ウクライナでプーチンを叩いた。次の標的が習近平なのだ。

具体的には、中国を台湾との戦争に巻き込む。つまり中台戦争だ。

ウクライナでは米軍は動かなかった。当然である。仕掛けた戦争で自ら血を流す馬鹿はいない。中台戦争もそうだ。アメリカの代わりに血を流すのが日本だ。

そのために〝飼い犬〟として飼ってきたのだ。

米ミサイルが米軍基地を攻撃……！〝偽旗《にせはた》作戦〟

●戦争を起こす常套手段、〝偽旗作戦〟

DSが深謀する〝台湾有事〟勃発。

……それは、次のようなシナリオで進行するだろう。具体的には米ミサイルが米軍基地を攻撃する。これで、世界にパニックと緊張を引き起こす。

そんな、馬鹿なことを……、と失笑した人は、歴史から何も学んでいない。

ヒトラーの議事堂焼き打ちを見よ。自ら議会に火を放って「共産党がやった」と叫んだ。同じことは旧日本軍もやっている。満州鉄道を爆破して「中国がやった！」と叫んで、中国に攻め込んだ。真珠湾攻撃もそうだ。〝作戦〟を立案したのはアメリカだ。それを日本側の工作員にやらせ「リメンバー！　パールハーバー」と米国民の士気を煽った。

ベトナム戦争もそうだ。トンキン湾の米海軍駆逐艦に、米軍は密かに魚雷を発射して撃沈。「北ベトナムがやった！」と叫んだ。

そして、アメリカは情け容赦ない北爆を敢行したのだ。

記憶に新しいのが、9・11だ。

世界貿易センタービルを爆破して「アルカイダがやった！」と叫んだ。そうして、アメリカは堂々と中東の石油を奪いに軍隊を送り込んだ。

これらは、すべて自らを攻撃して、「あいつがやった！」と、〝敵〟をでっちあげる。そうして、正義と報復の名のもとに、徹底的に殲滅《せんめつ》する。

古来から行われる常套手段で、これを〝偽旗作戦《にせはた》〟と呼ぶ。

敵になりすまし、偽の旗を掲げて、みずから攻撃することから、こう呼ばれる。

〝台湾有事〟でも、必ずこの仕掛けが行われる。

●（1）緊張、（2）紛争、（3）戦争……

仕掛けには、3ステップがある。
（1）緊張：以下のシミュレーションが想定される。
アメリカのブリンケン国務長官が訪台する。そして、台中同盟の強化を宣言する。

理由は「中国の軍事的脅威が高まっている」と名指しする。当然、中国は反発する。

中国海軍も近海への配備が強化される。

すると、バイデン〝大統領〟が急きょ、訪台し、米台共同宣言を行う。

「……中国の軍事的挑発を許さない。われわれは、全同盟国とともに中国の軍事的脅威に立ち向かう」。

怒りの中国は全土に厳戒体制を命令する。アメリカは、これら〝軍事緊張〟を理由に、台湾海峡で米台合同軍事演習を強行する。こうして軍事緊張をエスカレートさせる。さらに「事態を憂慮したバイデン〝大統領〟は「中国を抑止し、不測の事態を避ける」という名目で、台湾西岸と沖縄に中距離ミサイル基地を建設を発表する。

こうした威嚇に対して中国は「露骨な挑発」と怒りをエスカレートさせ、さらに緊張は高まる。

(2) 紛争：これら台湾と米軍側の挑発に対して、中国は制裁措置として、台湾貿易の規制に着手。最終的に禁輸も辞さない、と強硬姿勢を示す。
当然、〝台湾有事〟を警戒して台湾海峡は緊張の度合いが高まる。

中国海軍、台湾海軍、加えて第七艦隊まで出動し、いやでも事態は緊迫が高まる。

……闇夜、台湾の哨戒艇に向けて、〝謎の銃撃〟が加えられる。

即座に、台湾、米軍は「威嚇射撃でなく、直接発砲してきた」と厳重抗議を行うが当然、中国側は否定、激しく反発する。双方は水掛け論となる。

こうして台湾海峡の緊張はさらに高まる。中台双方の軍隊とも警戒態勢に入る。

バイデン〝大統領〟は全米放送する。

「……アジアは第二次大戦以来の軍事緊張にある。われわれは中国の暴発を許さない」

(3) 戦争：いよいよ〝偽旗作戦〟の開始だ。

……闇夜に台湾海峡に浮上した米潜水艦が台湾の米軍基地を標的に数十発のミサイルを発射。〝奇襲〟攻撃を受けた米軍側は即座に発表。

「……航空機や兵舎など破壊され一〇〇人ほどの米兵が死亡」

すぐにバイデン〝大統領〟は緊急放送で「中国側が卑劣な奇襲攻撃を行った」と非難声明。さらに「台湾、沖縄、日本などアジア全域の米軍に出動態勢を命じた」。

中国側は「これは悪質な捏造《ねつぞう》だ！」と反論声明を出す。しかし、ほとんどの世界メディアは黙殺。逆に「驕《おご》る中国が第三次大戦を仕掛け、世界制覇の野望に向けてついに動き始めた」と一斉報道。日本はＮＨＫ緊急ニュース、さらに「号外」などでパニックに陥る。つづいて米軍潜水艦は、闇夜に沖縄の米軍基地に多数ミサイルを発射。やはり、多大な人的被害が出る。

「沖縄が攻撃された！　次は本土の米軍基地がやられる！」

政府、テレビ、新聞……は、恐慌状態に陥る。

国民はスーパーなどへ買いだめに殺到する。

「……第二波、三波の攻撃の恐れがあります」「基地周辺住民は、即時、非難してください」。自衛隊にも西日本の沿岸部への出動命令が下される。

日本は、こうして一挙に戦時下態勢に突入する。

●憲法第九条一時停止。自衛隊出動

台湾海峡の米軍第七艦隊と台湾海軍は、報復として沿岸中国基地にミサイルやロケット弾攻撃を開始。中台米は、戦争状態に突入する。

岸田総理は緊急閣議を招集。そこで、青ざめた総理は、沈痛な面持ちで絞りだすようにいう。

「……事態は予断を許さない。すでに、沖縄は中国ミサイルにより攻撃され、多数の死傷者を出している。民間施設ですら被害を受け民間人も死亡している。米台両軍は、すでに応戦しており、戦争状態にある。バイデン〝大統領〟より自衛隊出動の緊急要請が寄せられている。このままでは本土の米軍基地と自衛隊基地への中国からの先制攻撃は避けられない。まさに、国家存亡の緊急事態だ。中国の暴発を抑止し、国民の生命と財産を守る。そのため内閣は『緊急事態条項』を発動し、憲法第九条の条項を一時停止。自衛隊に緊急出動を命じる」

内閣発議で憲法停止など暴挙である。法的根拠は一切ない。まさ、ヒトラーがワイマール憲法を一夜にして抹殺した手口そのものだ。

しかし、このような批判の声は、ヒステリックなマスコミ報道の前に打ち消される。あの見え透いたコロナですら、ワクチンですら、コロリとだまされたのだ。世界はめざめているのに、日本人だけは七、八回目のワクチン〝殺人〟注射に並んでいる。

こうして、またもや日本国民は、「中国脅威！」の大合唱の前に、恐怖で〝反応〟し〝洗脳〟され、殺されていくのだ。

有識者ですらテレビ、新聞で、こう述べるだろう。

「……国家存亡の危機です。死ぬか生きるか。だから、一時的に人権制限もしかたありませんよ」

●憲法全文を一時停止とする

かくして、海上、航空、陸上の自衛隊三軍は、沖縄、台湾に向けて一斉に出動する。

平和憲法九条を停止した自衛隊は、もはや、ただの軍隊だ。

それも米軍の指揮下に組み込まれる。つまり、若き自衛隊員たちは、米司令官の命令一下で中国の陸海空軍への攻撃を命じられる。待ち受けるのは情け容赦のない銃弾の雨。爆弾の爆裂。隊員たちは肉片となって飛び散るだろう。

そして、多くは銃弾に倒れ、海の藻屑《もくず》と化し、大空に散る。

ここまで、読んでも、まだ頭の中では……まさか、まさか……とつぶやいているだろう。しかし、過去を振り返ってみよ。

まさに、人類の歴史は……まさか、まさか……の繰り返しだった。

「ありえない」という悲劇が、いともかんたんに起こっている。

全自衛隊に出撃命令が下された後、岸田首相は、続いてこう告げるはずだ。

「……憲法全文を一時停止とする」

かつて、ヒトラーはヒンデンブルグ大統領に進言した。

「共産党が暴力革命を暴発させました。これは、国家存亡の危機。すぐに憲法停止を！」

かくして、当時、もっとも民主的憲法として称賛されたワイマール憲法は、一夜にして〝抹殺〟されたのだ。

……こうして歴史は繰り返す。

だからこそ、われわれは命をかけてでもその暴挙を許してはならない。

第1章

日本はこれでやられた！
テクノロジーや軍事技術で
巨大地震は当たり前

気付きのきっかけ——震災後の選挙スピーチでの出来事

歳月が流れるのは早いもので東日本大震災から12年が経っている。犠牲になられた方々のご冥福を祈ると同時に、真の鎮魂のためにあの時あの場所で何があったのか、その本当の話を知らなければならない。

今でこそ内部告発や様々な専門家の発表などで当時の背景や真相が多くの人々に知られるところとなっているが、２０１１年時点ではまだ知る人ぞ知るタブー扱いの内容だった。

その内容を述べると今に至ってもまだ「陰謀論だ」と頑なに耳を塞ぐ人々や各級議員もいるほどで情けない限りである。

自分たちが何をされたのか、知らないまま犠牲になっていくことほど哀れなことはないだろう。

何があったのか、なぜ犠牲になったのか、この真相を語り伝えることこそが真の鎮魂になるという思いで、以下私の知り得る範囲で話を展開したい。

私は当時、東大阪市議会議員の2回目の当選をしていた。活動も真摯に取り組み有権者の反応もそれ相応にあり、また諸々の選挙に精通している方々からも私の3回目の当選は間違いないといわれていた。

しかし東日本大震災から4か月後、私の次の選挙の2か月前のある日、大阪市内で保守系の勉強会に招かれスピーチを依頼される。多くの論客がいる前で壇上に立つと、なぜかスイッチが入ってしまった。

「犠牲者へのご冥福をお祈り申し上げます」と述べた後に、「あの震災は自然現象ではなく意図的に日本が攻撃されたことによるものだ」と話し始めた。

すると会場全体が静まり返り、数名の男性が、

「その話はやめろ！」

と叫んで私のスピーチを制止しようとした。

さらには最前列に座っていた女性が立ち上がり、

「これは犠牲者に対する冒瀆です！」
と金切り声を上げた。
私は唖然とした。
日本が攻撃されたという事実を話しているのに、それを日本人が遮《さえぎ》ろうとしている
その風景に私は落胆した。
名だたる保守の方々が参加していた勉強会だったが、この現実を前にして私は日本
には健全な保守はいないと察知した。
それと同時にこのスピーチにより何か大きな潮が引いていくことが感覚的にわかっ
た。
背中に冷たい汗が流れていくのもわかった。
次の瞬間、私は本能的に次の選挙での落選を察知した。
そして本能的に感じた通りに私は落選した。
選挙の翌日、当選をした各党の重鎮議員から、
「君が落選するとは正直、想像すらしなかったな」

と言われ、東京で当時参加していた伝統ある勉強会でも重鎮の方が私のところに歩み寄って来られて、

「一体何があったのだ⁉　何を失敗したのか？」

と疑問をぶつけられたものである。

当時38歳の私はまだそれほどに世の中の構造をまだ理解してはいなかったが、それでも本能的にあの大阪市内での保守系グループによる勉強会でのスピーチが波及して大きな潮が引き、落選となったことくらいはわかった。

世の中はどこにいても繋がっており、何か一線を超える言動をすれば即座に張り巡らされているネットワークを通じてそれが大きな存在に伝わる。

それが世の中というものである。

私は38歳の当時、東大阪市議会議員3期目を目指した選挙で弾かれることにより、世の中の構造を知ることに繋がっていくのである。

それまでの私は囲われた枠の中にいたにすぎなかった。

弾かれて初めて枠の外に広がる風景に気付き、役所やメディアが伝える情報と現実の違いを感じ始めた。痛い目に遭い、初めて外の風景に気付いたのだった。

社会に溢れる情報の中には何一つ本当のことや本質的な内容が含まれていないという事実にも気付いた。

枠の外に広がる風景……。

そこを見つめるうちに本当のことを知りたいと願うようになっていった。

そして私なりに様々な情報を調べるようになっていった。

知れば知るほどに知的好奇心が刺激された。

もっと知りたい、と本能が叫び始めた。

さらにもっと知りたいと意識や無意識で捉えるようになっていった。

ちょうど、魚釣りが好きな少年が夢中になっていつしか腕が上達していくように、私もいつしか夢中になって世の中の様々な物事に意識を注ぐようになっていった。

好きこそものの上手なれと言われるように、やはり義務感や仕事として、あるいは指示されてやっている人よりも、自ずと好きでやっている人のほうが身に付くことも早いし上達も早いように、夢中で意識無意識の中で世の中を見つめている私は次第にメディアや役所が提供する情報や資料には決して載せられていない世の中の様々な実態を知るようになっていった。

まさに事実は小説よりも奇なりである。

この世の中のあらゆる現実は、あらゆるSF映画よりもSFであり、あらゆるホラー映画や小説よりもホラーであるということを自ずと知るようになった。

皆様もきっかけさえつかめば事実は小説よりも奇なりなこの世の中の現実を体感するようになるだろう。


人は大きく2つに分かれる。

想像を超えた事実を知らされた時に拒絶反応を示す人と、魂が何かを感じ知ることの喜びや知ることとの意味を感じる人である。

私は後者である。

例えそれが悲劇的な内容であれ、被害を生じている内容であれ事実が持つことの力を感じる。

知ることは生きることであり、喜びであり、感動である。

知ることが運命さえ分けていく。

そう感じれば感じるほどに私の知的好奇心や胸の奥深くが深呼吸を始め、さらに知りたいと願うようになった。

そのような積み重ねを繰り返して12年の歳月が経過した。

人にはそれぞれにタイムラインが違う。

気付くきっかけに早い遅いの違いはあるだろうが、それが優劣を意味するものではない。

その人その人にとって何かがきっかけとなって事実を知るという、その「気付きのきっかけ」が大切なのである。

私にとって気付きのきっかけを得たのは2011年の東日本大震災であり、さらには震災から2か月後の時点で真相を知らされた。さらに震災から4か月後には大阪市内の保守系グループによる勉強会でスピーチしたことで大きな潮が引いていき、議員という立場を失ったことで世の中への気付きのきっかけを得たのである。

今となってはむしろ、あの時点で弾かれたことで私は世の中に気付き、私の歩みが始まったことに感謝したい。

もしもメディアや役所が流す情報を鵜呑みにしたまま疑いもせず、あのまま通り一遍の挨拶や演説を重ねていれば当時の選挙にも得票の増減はあるにせよ、当選を重ねていただろう。

そうすると今の私とは全く違う私として歩みを続けていることになるため、恐らく今日の私にはなっていない。

12年の歳月を踏まえて見るならば私は弾かれたことにより気付きを得てリテラシーが備わったといえる。

それではこれから犠牲者への鎮魂も込めて、あの時何があったのかを日本人として魂を込めて述べてみたい。

コーエン国防長官の講演

1997年、当時のアメリカのコーエン国防長官がアトランタ大学にて約1200名の大学生を前にして行った講演で、

「諸君、今の時代はテクノロジーや軍事技術の進化が著しく、簡単に巨大地震や巨大台風、ハリケーン、豪雨、大津波、旱魃、火山噴火などを発生させてそれをもって相手国を攻撃することができる時代である」

と話をしている。

あれから26年が経過している今、さらに進化していることは論を待たない。

対象国や対象相手を爆撃や空爆するのではなく、軍事技術で巨大地震や巨大津波を発生させて攻撃をする。今はもうそのような時代となっている。

相手に何をしているのかを気付かせないままに攻撃をするという、見えない戦争、

見えない虐殺、つまりステルスウォーやステルスジェノサイドが行われる時代である。

そのような陰謀論はやめてくれ……という方はどうぞご自由に耳を塞いでほしい。成すがまま為されるがままに犠牲になる可能性は大である。

今はメディアが伝えない内容に聞く耳を持つ人とメディアが報じないことはデマであり都市伝説や陰謀論の類だと拒絶する人とで運命が分かれていく。

運命の分かれ道の途上にいるのだ。

自然を敬う日本人は軍事技術により自然現象を装って発生させた攻撃を自然現象だとしか認識しない場合が多く、これまで散々に攻撃を受けてきたことにも気付けない。

その最たる例が東日本大震災とそれによる大津波なのである。

あの時、支配階級のダークサイド側は日本を再占領しようとした。

日本列島は実は今も金（ゴールド）が産出され続け、また様々な資源や富がある。

沖縄県の尖閣諸島海底には中近東を遥かに上回る海底油田があり、島根県の竹島周辺の海底には膨大なレアアースがあり、これまでは中国のレアメタルがなければ電子機器は作れないとされていたが淡路島から瀬戸内海一帯の海底にはそれを遥かに上回る質と量のレアメタルが発見されている。

さらには豊かな森林資源と豊かな水源。

あらゆる視野を踏まえれば、日本列島は日本人が認識しているよりも遥かに資源の宝庫であるため、支配階級はそれゆえに日本列島が欲しいのである。

戦後日本では2009年に、初めて政権与党の交代が生じた。これは戦後長らく自民党を通じて政治面から日本人を支配し動かしてきた支配階級からすれば非常に好ましくないことであった。

自分たちの言うことを聞かず日本人本位の政策を遂行されかねないからだ。

事実、戦後の日本の政治史として初の選挙による政権与党交代となった初代内閣の鳩山由紀夫首相は限りなく国民との公約を実行しようとした。

当時は歴代内閣の首相ですら知らされていなかった事実上の国会である日米合同委員会で異を唱えたり、1994年のクリントン大統領により始められた事実上の命令書である「年次改革要望書」を鳩山由紀夫首相は拒否、そして廃止した。

当然このような行為が支配階級の逆鱗に触れ、鳩山内閣潰しが加速度的に展開された。

メディアを通じては様々な内容が喧伝されているが、現実は鳩山由紀夫首相は支配階級の言いなりにならず、その怒りを招いて潰されたのである。

中丸薫氏も自身の勉強会で述べていたが、「もしあと1日、鳩山由紀夫首相の首相辞任が遅れていたならば彼の命の保証はなかった」とのことであった。

日本再占領計画——東日本大震災を起こした仕組み

次に首相に就任した菅直人内閣の時、日本の富を獲得するためと不都合な民主党政権を倒すために支配階級は軍事攻撃を行った。

自衛隊に命令を出し、3名で1組の隊員のチームを何組も作り、半年以上の時間をかけてそれぞれのチームに小型核爆弾を作らせた。

そしてその小型核爆弾を半年ほどかけて東北地方沖から関東沖までに至る長大な海底に埋設していった。

そして2011年3月11日14時46分、海底に埋設していた核爆弾を遠隔起爆させ海底核爆発を発生させた。

巨大地震が発生する瞬間に宮城県沖が激しい閃光に包まれたのはこのためである。

犠牲者のほとんどは巨大地震ではなく、それにより引き起こされた大津波で亡くなっている。

支配階級は予《あらかじ》め何かを行う時には事前に何らかの形で知らせるか予告を行うという掟がある。

この時も3・11といわれた軍事攻撃の数日前に東京都内の一流ホテル地下会場に内外のセレブが召集され、これから東北地方は海底に沈むので立ち入らないようにとのアナウンスが行われている。

この時に会場に映し出されたスクリーンには宮城県と山形県とが消滅して海にされていたとのことである。

つまりあの時点で、それなりの方々は事前に何が起こされるのかを知らされていたのである。

2012年の衆議院議員選挙に緑の党から立候補した福島県双葉町長は選挙戦本番の街頭演説でこの事実を述べており、その演説模様はユーチューブ動画にも掲載されていたので多くの方々もご覧になっていることだろう。

各国政府を超える権限や力を持つ存在があるということがこのような諸事実からも垣間見える。

小型核爆弾を製造させられた自衛隊員は口封じのために次々と消されていった。

しかし奇跡的に1人の自衛隊員が逃げ出すことに成功し、ある牧師のもとに駆け込んだ。

そしてその自衛隊員が一部始終を牧師に告白し、世界的なネットワークのある牧師が世の中に発表したことから、あの日の真相が世の中に知られることとなった。

もしもこの自衛隊員までが消されていたならば3・11の真相は闇に葬られていたか、世の中に知らされるのがもっと遅れていたであろう。

牧師の世界的なネットワークによりその自衛隊員は今も守られていて軍事裁判の際には証言に立つ予定でいるとのことである。

トモダチ作戦の真相――ダークサイド側の誤算

巨大津波が次々と東北地方沿岸部を破壊していくとき、オバマ政権下のアメリカ軍は既に宮城県沖に空母ロナルドレーガンを始めとして30隻以上の大艦隊を待機させていた。

なぜ、巨大津波が発生した時点で既に大艦隊が待機していたのだろうか？

不自然ではないか。

トランプ大統領と違い、オバマ大統領は支配階級のダークサイド側であったために、この時の艦隊も支配階級のダークサイド側の指令で動いている。

なぜ、巨大津波が発生した時点でオバマ政権下のアメリカ艦隊が宮城県沖に待機していたのだろうか。

偶然ではない。

艦隊の上層部は大津波を発生させられることを知らされていたからである。

下部の兵士たちは全体像を知らされず、ただ待機命令が出てそれに従い、次の命令が出るまで待っていたのだ。

軍とはそのような命令系統が厳格な世界である。

ところが支配階級のダークサイド側に誤算が生じた。

支配階級の思惑では巨大津波が首都の東京をも完全に呑み込んで破壊させる予定だったのだが、奇跡的に巨大津波が房総半島沖で止まり東京は無事だった。

支配階級の作戦は失敗した。

これに支配階級は激怒した。

支配階級の当初の計画では国会議事堂も政府機能も霞か関官庁も全て巨大津波で壊

滅させ、日本政府が統治機能を失ったことを確認した後に宮城県沖に予め待機させていた空母ロナルドレーガンを始めとする大艦隊を迅速に東京湾に進入させて占領作戦を展開するはずだったのである。

緊急放送までが既に予定されており何も知らない大多数の日本国民に向けて、「統治能力を失った日本政府に代わり暫定的に我々が日本を統治する」と放送する予定だったのである。

しかし天が日本を守られたのだろう。

房総半島には鹿島神宮や香取神宮が鎮座し地震を防ぐという要石がある。

私はやはりこの要石の結界というのか、そのような大きな何かが作用したとしか思えなかった。

これにより東京は無傷で守られたのである。

激しく怒り狂いながらも支配階級は予定を変更し、当初の「日本再占領計画」から迅速に「トモダチ作戦」に変更、空母ロナルドレーガンを始めとした大艦隊は東北地方の救助活動へと向かったのである。

末端の隊員たちはただ命令に従うのみで、待機命令からトモダチ作戦の指令が出たことを受けて忠実に行動しただけだが、上層部は当然の如く支配階級からの指揮系統の下にあり一連の展開を知った上でのオペレーションである。

常に何通りものシミュレーションを想定していて当初の予定がうまくいかなければ即座に次のオペレーションを展開する手法である。

この時に海底核爆発を何発も行ったことから宮城県沖で待機していた空母ロナルドレーガンを始めとした大艦隊の乗組員たちが被曝してしまった。

当時は何も知らされていなかった乗組員たちがやがて発生した福島原発の爆発による被曝だと誤解して日本政府を訴えるのだが、残念ながらお門違いなのである。

いつの時代もいつの世も末端の人々が何も知らされないまま都合よく使われては犠牲になり、不都合になると切り捨てられていく。

古今東西、人の世において変わらない姿である。

事実は小説よりも奇なりである。

未来のためには事実や背景を知らなければならない。

福島原発の爆発――ヒラリー・クリントン国務長官の悪魔の所業

巨大津波からほどなくして福島原発が爆発した。

日本国内向けに公表された映像には音声が消されて爆発する映像だけだった。しかし海外で公表された映像では音声も伴っておりボン、ボン、ボンと3回連続で爆発音が響き、東京タワーに相当する高さのキノコ雲が発生する姿が放送されている。

音声を伴った映像について専門家が異口同音に核爆発だったと述べている。

一方、日本人にだけは津波による水蒸気爆発だと偽って伝えられている。

日本にある隠蔽体質というものが戦時中から今も全く何も変わっていないことを思い知らされた。

2013年の国会での委員会質問で当時の民主党の原口一博衆議院議員が指摘した

ように、実は日本の原発54基全てはなぜかイスラエルの企業が管理運営している。

そして日本政府が何かの指示を聞かなかったり言いなりにならない時には容赦なく原発を破壊するとされてきた。

福島原発にも外見は監視カメラにしか見えない小型核爆弾が予め施設内に幾つも設置されていて、イスラエル企業が遠隔操作により起爆し核爆発により破壊したのである。

この件は今や様々な内部告発が行われて証言されている。

当時の関係者による告発動画や多くの識者が様々に随所で発表していることであり、もはや周知の事実といってもよい内容である。

ちなみに2022年に行われた東京オリンピックの際に首都東京を警備していた責任企業はこのイスラエル企業であった。

何をか言わんやである。

東京オリンピックの時も実は様々なことが紙一重で遂行されている。

巨大津波に福島原発爆破と大惨事になった日本に対して直後に当時のヒラリー・ク

リントン国務長官が首相官邸に当時の菅直人首相を訪問した。

メディアによる報道ではヒラリー・クリントン国務長官が首相官邸に入っていく映像だけが何度も映し出され、被災した日本を激励するための官邸訪問だとされた。しかし事実は全く違う。

テレビカメラが映していない官邸の中でヒラリー・クリントン国務長官は菅直人首相を恫喝したのである。

端的にいえばヒラリー・クリントン国務長官は「お金を出せ」と菅直人首相を恫喝した。

この時、当時の菅直人内閣の日本政府は日銀に50兆円を復興資金として準備させていた。

それを巻き上げようとしたヒラリー・クリントン国務長官に対して菅直人首相は復興資金だから出せない旨を告げるとヒラリー・クリントン国務長官は菅直人首相に激しく迫ったのである。

「言うことを聞け。お金を出せ。言うことを聞かなければ福島原発だけなく残り53基ある日本国内全ての原発を同じように爆破するぞ。富士山も噴火させるぞ」

と恫喝したのである。

支配階級ダークサイドは本当に実行してしまうのである。

この脅しに菅直人首相は屈してしまい復興資金として用意していた50兆円をヒラリー・クリントン国務長官に強奪されてしまった。

幾つかの筋からは更に50兆円を強奪されたともいわれている。

この屈辱に際して菅直人首相は人目も憚らず号泣したと仄聞《そくぶん》している。

メディアは当時の民主党政権がいかにも無能で復興が遅々として進まなかったと報道したが、このような現実があったのである。

当時の国会答弁で海江田万里大臣が途中で幾度か泣き崩れた場面があり、メディアはこれを弱虫扱いして報じたが、このような背景を大多数の日本国民は知らされず、また国会では当時の野党自民党から復興の遅れについて追及され、言うに言えないそんな事情の中で、堪えきれず涙が溢れたものだと私は推察している。

まさに悪魔の所業をされていたのだから。

ヒラリー・クリントン国務長官はその後、実際に富士山を噴火させるべく富士山山麓一帯を800回以上も爆破攻撃している。

今や軍事技術やテクノロジーの進化は著しく1997年時点の段階で火山噴火は簡単に発生させることができ、それにより対象国や相手を攻撃する時代になっているということは、コーエン国防長官がアトランタ大学にて大学生1200名を前に講演していた通りである。

なぜ、富士山を噴火させようとするのか。

先ず日本人の精神的風景や美しいシンボルである富士山が山体崩壊し、麗しい富士山の容貌が消滅すれば、日本人の精神に与えるショックは大きいだろう。

さらに噴火による溶岩が山麓一帯に流出し静岡県や山梨県の広範囲がマグマで焼き払われ灼熱地獄の中で犠牲者も多数生じる。

また溶岩が流れ出れば東海道新幹線や東名高速道路が寸断され物流や人の往来が遮断された日本経済は麻痺する。

そして膨大な火山灰が首都圏一帯に降り注ぎ、火山灰が厚く堆積すれば首都機能は多大な支障が生じて随所に支障が生じる。

以上のようなダメージを日本人や日本に与えることができると目論見、支配階級のダークサイドは富士山噴火を試みた。

しかし奇跡的に富士山は噴火しなかった。

日本は何か大きな力に守られていると感じている。

大きな超越した存在に思わず手を合わせたくなる。

ヒラリー・クリントン国務長官はＩＳＩＳ（イスラム国）というテロ組織を組成して第三次世界大戦を引き起こす戦略を練っていた。

ソビエト崩壊後、冷戦構造が消滅した後は、新たな脅威としてテロの脅威を作り出す必要が生じ、ＩＳＩＳが作られたのだが、そのＩＳＩＳの拠点を徹底的に空爆して壊滅させたのがロシアのプーチン大統領である。

メディアはいかにプーチン大統領が悪であるかという刷り込みや印象操作を執拗に繰り返しているが、メディア情報だけを鵜呑みにしていると判断を間違える。

これまで何度も支配階級のダークサイドが試みた第三次世界大戦の勃発を巧みに阻止してきたのはプーチン大統領とトランプ大統領である。

この2人の指導者がいなければ世界は既に阿鼻叫喚の地獄絵と化し、我々日本人も生存していない可能性が高い。

リビアのカダフィ大佐を殺害したのも当時のヒラリー・クリントン国務長官であった。理由はカダフィ大佐が支配階級のダークサイドの傘下に入らずリビアを独立した豊かな国にしようと試み、さらにはEUを手本にアフリカ連合（AU）を組織しリビアがその盟主となり平和で豊かなアフリカ連合を構築しようとしたことが支配階級ダークサイドの逆鱗に触れたためである。

そのようなことを平気で行うヒラリー・クリントン国務長官であるから、日本の破壊も躊躇はしない。

実は近年に判明したことだが、富士山地下に溜まっているマグマは地下から海底を通って小笠原諸島の海底火山から噴出していた。

西之島という小さな島がまるで古事記の国生み神話のように海底から陸地が次第に大きくなっているが、どうやら富士山地下のマグマがここからガス抜きのような形で噴出しているようである。

これにより富士山は執拗な軍事攻撃から噴火を免れているということのようである。

もはや奇跡である。

まさに大いなる存在が富士山を、日本を守っているとしか言いようがない。

もしもこの現象がなかったならば富士山はヒラリー・クリントン国務長官により噴火させられていた可能性が高い。

被災地で見た目に見えない力——奇跡は実在する⁉

２０１１年当時、福島原発爆発のしばらく後に私は東京都内の伝統ある勉強会に参加していた。当時は民主党の市議であった。

そこで東京都内の自民党の重鎮自治体議員にメディアが酷評していた当時の菅直人内閣について尋ねたら意外な答えが返ってきた。

当時の私はまだメディアの報道をほぼ信用していたので当然ながら自民党からすれば政敵である民主党の政権については否定的な答えや批判的な見解が返ってくるものと想定していた。

その自民党の重鎮自治体議員は、

「いやいや、菅直人だからまだこのくらいの被害で済んでいるのだよ」

と言ったのである。

そういうことなのか、と私は理解したものである。

私が既存の枠から抜け出すきっかけをつかんだ東日本大震災だが、これに際して同時に目に見える姿形だけではなく見えない領域の作用や存在、物理的に説明できない何かについても体感を伴って認識が広がった。

巨大津波から4か月後の2011年7月、私は被災地での津波被害を受けた家屋から土砂を撤去し、リフォームのために壁を剝がす作業のボランティアに入った。

仙台駅前からレンタカーを手配して北上、岩手県陸前高田市に入った。

言葉を失うほどの惨状だった。

市街地が根こそぎ消滅している。

一帯が広大にミキサーにかけられたかのように瓦礫が散乱し跡形もない。

そういう光景に言葉を失いながら海沿いの車が1台ようやく通れるくらいの道を南下していた。

目の前の海には津波で流された家屋が浮いている。

打ち上げられた漁船が横たわった浜辺で消防隊員が懸命の捜索作業を展開していた。

ふと、フロントガラスの右前方に目をやる。無残に破壊され跡形もなくなっている沿岸の一帯の中で無傷のまま松の木が1本凛とした姿をたたえ、その横に柔和な表情の道祖神がそのままの姿で佇んでいるではないか。

私は思わずレンタカーを停止させ駆け降りて道祖神に手を合わせた。

このような光景が現実に目の前に現れるともはや奇跡を否定したり理屈で語ろうという視野は消え去る。

これを奇跡といわずして何というのか。

昔より往来の人々を見守り続けてきたこの道祖神、あるいは道行く人々が絶えず祈りを捧げてきたこの道祖神には、積年の人々の祈りや願いが染み込んでいるのであろう。

そういう人々の念が何かを作用させたとしか思えなかった。

また被災地の沿岸部一帯でよく聞いた話だが、寺はことごとく壊滅しているが海沿いの祠《ほこら》や神社は無傷のまま奇跡的に残っている事例が幾つもあるとのことだった。

津波が祠や神社を避けていく……。

都市部のオフィス街でこのような話をしたならば大多数の今の日本人には「都市伝説だろう」「迷信だ」の一言で片付けられるのだろう。

しかし被災地の現場で現実に周囲が破壊され尽くした中にまるでそこだけを巨大津波が避けていったとしか見えないような無傷な姿で佇む道祖神を眺めると、人知を超えた何かが存在するとしかいいようがない。

もはや理屈や理論ではなく現実の風景として奇跡を見たとしか説明できない。

いにしえの世より人々はそこで何かを見たり何かがあったから祠を祀り神社を建てたのだ。

みだりに興味本位や娯楽で土地の有力者や地主が祠を祀っているのではない。

何かのご霊験があったり人知を超えた何事かを土地の人々が体感したからこそ、そこに祠があるのである。

破壊され尽くした廃墟の海沿いに無傷で佇む道祖神の柔和な姿に感じ入った私は、それ以降、見えない世界の存在や物理、あるいは科学では証明できない様々な現実についても素直に向き合う姿勢になった。

メディア情報との乖離――悪魔経済に手を染めた日本人たち

巨大津波や福島原発爆発から12年の歳月が流れたが、私たち日本人はあのとき、日本が攻撃されていたのだという現実を認識する必要がある。

２０１１年当時、菅直人首相が有楽町の特派員協会において世界に向かって現職の総理大臣として重要な内容を発表している。

当然ながら多くの海外メディアはこれを報じた。

しかし日本のメディアは完全にこれを黙殺。

ゆえに今でも多くの日本人は当時の現役首相の菅直人首相が世界中に向けて発表した内容を知らないままである。

その内容は、

①イスラエルのネタニヤフ首相からお金を出せと脅迫され、拒めば日本中の総ての原発を爆破すると脅されたこと

②支配階級より「関東圏を中心に4000万人の日本人を朝鮮半島に避難させるように」と命令されたが、これを拒否したこと

以上の主に2点を当時の菅直人首相は記者会見している。

世界の多くの人々はこれを知っている。

しかしお膝元の日本人はいまだにこの事実を知らない。

日本のメディアが報じないからである。

何ということだろうか。

日本の良さもたくさんあるが、ときとしてこのように事実を隠蔽する体質は戦時中から全く変わっていない。

今のコロナ禍に際してのコロナワクチンによる被害についても本質は全く同じである。

厚生労働省の大本営発表、メディアに対する箝口令、大臣が犠牲者遺族の声に対しても「デマだ」と否定するような利権優先の体質が権威に対して従順な日本人に甚大な被害と犠牲を生み続けている。

このくびきから脱しない限り日本人の未来はない。

もし２０１１年当時、菅直人首相が支配階級からの命令に忠実に従って関東圏を中心に４０００万人の日本人を朝鮮半島に避難させていたならばその後どうなっているだろうか？

首都圏を中心に関東圏は空白になっている。

間違いなく様々な名目で外国勢力が入り込んで自治区などを構築し取り返しのつかない事態になっていたであろうことは想像に難くない。

日本人本位の政策や行動をした指導者や政治家、経営者はメディアで徹底的に叩かれ、世間には人格破壊された歪んだ姿が刷り込まれ信用を失墜させられていく。

日本人の多くがメディアリテラシーを磨き洪水のように垂れ流されるメディア情報にミスリードされない見識を備えることが重要である。

「風が吹けば桶屋が儲かる」という諺があるように、このような被害の中にも利権が存在する。

利権を守るために良いものが葬られ被害が生じるとわかっていても継続していく悪しき連鎖が日本を覆い尽くしている。

いつから日本人は悪魔経済に手を染めたのだろうか？

今の日本の政財界は利益さえ得られるならば悪魔に魂を売ることも平気で行っている。

良心の呵責に苛まれることはないのだろうか？

本来の経済とは経世済民であり、人々に有益なことを行いそれで相手が豊かになれば世の中全体も豊かになる、そしてそのような良い仕事したならば自分も相応の対価を得るというように、まさに世の為人の為に良い仕事をして皆が豊かに幸せになろうというものである。

それが経世済民《けいせいさいみん》である。

経済とは経世済民の「経」と「済」とを取って経済と省略されているのだが今一度、日本人は本来の経世済民に立ち返るべきではなかろうか。

今のように巨大な利益になるならば悪魔に魂を売ることも厭わないような、あるいは利権を守るためには人々の犠牲もためらわないような社会になっていては衰退しかない。

悪魔経済から道徳経済、本来の経世済民へと舵を切るべきではなかろうか。

これ以上、悪魔経済がまかり通るならば日本は弱体化していくだろう。

日本をパニックに陥らせる計画は80年前から始まっていた

メディアに染められた大多数の日本人の口癖は、

「ソースはどこですか?」

「エビデンスはありますか?」

というような条件反射になっている。

NHKや朝日新聞、読売新聞が報じない限り事実ではないという思考回路から抜け出さなければ、日本は消滅しかねない。


いまだに地震は自然現象でしかあり得ないと信じて疑わない冬眠中の方々に強烈なエビデンスを示したい。


2005年4月にアメリカで公開されたアメリカ軍機密文書がある。

プロジェクト・シールというもので、

「地震を使った対日心理戦争計画」と題されたものである。

これは1945年にCIAの前身であるアメリカ戦略情報局(OSS)により作成された。

アメリカは心理戦争からの切り口でも攻撃を仕掛けていたのである。

公開されたこの機密文書によれば1944年にカリフォルニア大学のバイヤリー教授を中心に地震学者が総動員され、「日本近海のどこの海底プレートに強力な爆弾を仕掛ければ人工的に巨大な津波を起こせるかシミュレーションを繰り返した」とある。強力な爆弾とは、開発間もない原子爆弾のことである。

この公開された機密文書には「日本本土攻撃作戦」の副題がつけられ、「日本人の目を覚ますには地獄に飲み込まれたと思わせる必要がある。そのためには、地震を恐れる日本人の特性を徹底的に突くべし。地震攻撃に勝るものはない！」と結論されている。

当時のアメリカ軍の研究開発部門の責任者だったスタンレー・ロベル博士やマーシャル・チャドウエル博士の分析では、「日本の周辺にある海底の地震プレートをピンポイントで爆破すれば巨大な津波を発生させることが可能となる。目標とすべきプレートの周囲に8㎞以内に爆弾を仕掛ければ1年以内に狙った場所で地震を起こすことができ、津波も誘導できる」とされている。

この公開された機密文書のまとめとしては、

「地震・津波攻撃の目的は日本人をパニックに陥れることで、神国日本や軍部独裁に対する不信感を醸成することにある。日本人が国家を捨て、個人の生存を第一に考えるようにするためのショック療法とも言える」とされているのである。

今から80年近くも前から既に心理戦争の効果として日本人に国家を捨てさせる目的で地震や津波による攻撃が研究開発されていたという機密文書が公表されているのだから、噂や憶測ではなく厳然たる事実なのである。


自分で知ろうともせず、自ら調べたり自ら学ぼうとしない人々ほど何かにつけて、

「エビデンスは？」

「ソースは？」

「事実ですか？」

と口癖のように唱える姿が共通している。

現実は想像を遥かに超えているのだという現実を認識できる人から進歩の歩みが始まる。

第2章

日本人よ、気付け！
ウクライナ問題とメディア情報の乖離

メディア信仰の日本人――「ウクライナ侵攻」の裏側

ウクライナ情勢はメディアからはなかなか本当の姿は伝えられない。

圧倒的多数の日本人や日本の政財界、官僚も多くはメディアによる情報を以て世界情勢を認識したつもりにさせられている。

これは本当に大丈夫なのだろうか？

メディアは世の中の事実や真実を報道しているのだから嘘を流すはずがない……と2011年頃までの私もそのように認識していた。

しかし私は東日本大震災を機にメディアの報道内容と様々な現実との乖離に気付き、枠の外に広がる風景に気付いた。

メディアの情報が意図的に誘導されている内容だったとしたらどうだろうか？

そこに真実や公平性が健全に存在するだろうか？

このような真摯な視野でメディア情報やメディア以外の様々な媒体を見ていく必要があるのではないか。

ウクライナは支配階級の巣窟でもあり、何とかして第三次世界大戦を勃発させて軍産複合体が巨利を得たいエリアである。またかねてから世界統一政府を作り地球全体を一つの支配下に置きたい支配階級の野望が渦巻くエリアでもあるためになかなかわかりにくい面もある。

中世の頃よりウクライナという地が世界情勢に関わってきているので、改めて振り返ってみたい。

様々な見方があるだろうが、ウクライナはロシアと支配階級との思惑が激突する地である。

支配階級は特に欧州を拠点としていて、欧州支配階級からすればプーチン大統領は煙たい存在である。

プーチン大統領はソビエト崩壊後に新たに侵食したオリガルヒという欧州金融支配

階級による新興財閥を徹底的に排除してロシアからほぼ完全に金融支配階級を追放した。

ロシア自体が欧州支配階級の傘下に入らなかった王朝だったために、欧州支配階級はロシア革命を引き起こし帝政ロシアを打倒し、欧州金融支配階級支配の国家であるソビエトを樹立したのであった。

そのソビエト崩壊後に欧州金融支配階級を駆逐したのがプーチン大統領だったのである。

2007年2月、ミュンヘン国防政策国際会議でプーチン大統領は、

「アメリカの一方的な行動は問題を解決しておらず人道的な悲劇や緊張をもたらせている」

と発言し名指しで批判した。

この時のアメリカはディープステイト政権でありトランプ大統領の時のアメリカとは違う。

またプーチン大統領は2006年以来、石油取引所の開設を目指し、2008年か

らはオンライン取引を開始し、石油決済を自国通貨のルーブルに限定した。

そしてプーチン大統領は中国との2国間貿易の決済にもドルを使わない協定を結んだ。

このようなプーチン大統領の動きはドル利権を破壊する行為であり、ディープステイトにとっては脅威となった。

さらにプーチン大統領は旧ソビエトの構成国家に声をかけてユーラシア経済連合の設立を呼び掛けた。

ディープステイト支配下に入らない指導者は多くが失脚させられてきた。

原油のドル決済を止めようとしたイラクのフセイン大統領やアフリカ統一機構を作ろうとしたリビアのカダフィ大佐がいずれも悪者にされて殺害されたように、プーチン大統領もディープステイトは何とかして排除したいのである。

ウクライナ人はソビエト時代にスターリンから飢餓を意図的に引き起こされ、1400万人が餓死したとされている。

またウクライナ領内にはロシア人とウクライナ人とが住んでいて選挙のたびに拮抗してきた。

そのためにディープステイトはウクライナ政権を反ロシアの政治家で支配しようとし、ウクライナを配下に置きたいロシアと常に衝突してきた。

1954年までロシア領だったクリミア半島が、その後は紆余曲折があり、住民投票でロシアへの再統合を住民が選択したために、ディープステイト傘下のアメリカとEUがロシアの侵略だと非難を開始した。

さらにはウクライナ東部で住民投票が行われ、住民がウクライナからの独立を選択したために事態はますます複雑化した。

ウクライナ東部はロシア人が多く、ロシアに親しみを感じている地域性がある。

この時のウクライナ政権は暫定政権でディープステイトの傘下だったので、ウクライナ陸軍に出動命令を出し、分離独立派との戦闘が始まった。

その中で大統領選挙が行われ、ペトロ・ポロシェンコ氏が新たにウクライナ大統領になった。

このポロシェンコ大統領はロシア派として長年にわたりウクライナでの要職を歴任してきたが、実は２００６年にアメリカ国務省のスパイとして働き、ヤヌコビッチ政権を崩壊させたウクライナの反政府デモを支援していたのである。

ウクライナにはこのような形でディープステイトの傀儡政権を作ってきたのだが、プーチン大統領だけは陥落しなかった。

そこでディープステイトは西側諸国を動かしてロシアに経済制裁を加えた。

しかしそれによりプーチン大統領はますますドルからの脱却に力を注ぐようになりディープステイトによる経済制裁は裏目になった。

このように常にディープステイトがロシアを支配下に置こうとしてきたのだが、ロシアがつまりはプーチン大統領がことごとくこれに対抗してきたという流れである。

様々な見方があるとは思うが、大多数の日本人がメディアを通じて受け取る情報はディープステイト経由のものであるので、いかにロシアが悪であるかという方向にバイアスがかけられている場合が多い。

様々な立ち位置を知り、メディアの流す情報を鵜呑みにしないことが大切である。

ディープステイトは軍産複合体の巨利のためと人口削減、そして地球全体を支配下に置くための世界統一政府を樹立するための第三次世界大戦の勃発、この目的のため様々な仕掛けを繰り返している。

主に欧州と中東、そして東アジアの3地点から紛争を勃発させて世界大戦に誘導しようとしているので、私たちはこの誘導に乗らないことが大切である。


プーチン大統領はディープステイトに対して戦いを挑んでいくが、私たち日本人もいかにして日本を健全に守りながら継承していくのかという視野がこれから益々大切になってくる。


メディアが多くの嘘、フェイク映像、フェイクニュースを垂れ流すため、私たちはついつい事実を見失いがちだが、そのようにならないためにも可能な限り客観的に事実を見つめる努力をしたいものである。

ディープステイトは私たち人類を分断させては互いに争わせて疲弊させ、細分化されたそれぞれを支配していくという分断支配に長けてきた。

人類が一致団結して結束することが最大の不利益になるため、支配階級のダークサイドは常に争いの種を撒き人々を互いに反目させて細分化してきた。

Divide and rule　という手段である。

分断して統治する手法――コロナとワクチンの裏側

例えば地球を資本主義と社会主義に割り、互いを相容れない存在として対立させ緊張状態を作り出した。

資本主義は人々を自由に言動させ経済を回し収穫段階で根こそぎ収奪する体制として、また社会主義は人々の言動を監視し経済を統制し支配者が富を握る体制として、壮大な社会実験だったといえる。

資本主義も社会主義もオーナーは同じである。

しかし各体制下の人々はオーナーが同じだとはつゆ知らず真剣に対立し真剣に戦ってきた。

ディープステイトの視野からすれば第一次世界大戦により国際連盟を作り、第二次世界大戦により国際連合を作った。

そして次は何とかして第三次世界大戦を勃発させて破壊と混乱の中から世界統一政府を作ろうとしている。

一連のコロナウイルス禍とコロナワクチンと呼ばれる液体はディープステイトの目指す世界統一政府と、それによる管理監視社会へ向けたもので前々から綿密に計画されてきたものだ。

この一連のウイルス禍やコロナワクチン接種は全地球が一斉に同じ動きをしたことでもはや世界統一政府の原型はでき上がっているのかもしれない。

私たちはその世界統一政府の体制下で果たして人間らしく日常を暮らすことができるのだろうか？

人間牧場のようにされて体内にチップを注入され、さらには人間とＩＴを接続してＡＩにより管理する家畜のような社会にならないことを願う。

ウクライナ情勢が混沌としているが、メディアはロシアが悪魔のような存在でウクライナ人に非道な行為をしているという内容を垂れ流しているが、使われた被害者の映像は数年前の別の場所でのものだったり、ウクライナ人が避難している映像が映画作品のワンシーンだったりする。悪意に満ちた手法であるために判断を誤らないことが大切である。

ほとんどの人々はメディア情報で世の中を認識しているためにそのメディア情報が意図的に加工されたものであれば現実から乖離してしまう。

ウクライナはかねてより様々な勢力が根深く巣食うエリアである。

２０１４年にマレーシア航空ＭＨ17便が撃墜され、ウクライナのドネツイク州グラボヴォ村に墜落した。

これはウクライナ軍による撃墜だったとの見方がある。

このとき、マレーシア航空MH17便は高度1万668メートルでウクライナ空域を通過したいとフライト計画を提出していたが、ウクライナ空域に入った後、ウクライナの航空交通管制官から高度1万58メートルでの飛行を指示されている。

マレーシア航空MH17便が消息を絶ったのはウクライナ領内に入りロシア領内に入る手前の50キロエリアだった。

この日のこの同じ時刻に同じ地域を3機の旅客機が飛行していたが、高度を下げるように指示されたのはマレーシア航空MH17便だけだった。

その指示を出した管制官はウクライナ政府の人間だった。

撃墜されたマレーシア航空MH17便の残骸には無数の機銃弾の穴が空いていた。

つまりマレーシア航空MH17便はウクライナ軍戦闘機による機銃掃射により空中爆発したということである。

ではなぜ、ウクライナ軍戦闘機がマレーシア航空MH17便を撃墜したのだろうか？

実はこの日、同じ時間帯にロシアの大統領専用機がほぼ同じエリアを飛行していたのである。

しかもマレーシア航空旅客機とロシア大統領専用機は外観やデザインがよく似てい

た。

つまりウクライナを反ロシアに誘導してきたディープステイトが、ウクライナ軍に命じてロシア大統領専用機の撃墜命令を出し、プーチン大統領の暗殺を狙った可能性を感じるのである。

ところが偶然にも同じ日の同じ時間帯に外観がよく似ているマレーシア航空旅客機が同じ空域を飛行していたために、ロシア大統領専用機と間違えて撃墜した可能性が高いとみえる。

このマレーシア航空旅客機が撃墜された直後、モスクワに戻ったプーチン大統領が大統領専用機から緊迫して引きつった表情で降りてきた画像を見て、暗殺未遂を肌で感じた表情に見えたのは考えすぎだろうか。

欧州権力とロシアとの関係は、ディープステイトとプーチンの闘いである！

ロシアは昔から欧州支配権力の支配下ではなく、そのために欧州支配権力から睨まれてきた。

欧州支配権力は白人至上主義であり、白人中心の世界を常に目指している。

ＥＵを作ったのも欧州支配権力である。

その欧州支配権力は年に１回、３日間の日程で支配権力だけの会議を開く。

そこには欧州やアメリカの政治家や官僚、多国籍企業や金融機関の代表、欧州の王族や貴族の代表など１２０名ほどが集まり白人至上主義に基づいた様々な重要案件を話し合う。

この会議にはロシアが除外されている。

そのようなパワーバランスで世界を見ると今のウクライナ情勢も見えてくる。

先述したが、ウクライナ東部の住民投票で住民がロシアへの編入の意思表示をした結果を受けて、ロシアの国会でもこれを承認、極めて民主的な手続きでウクライナ東部がロシアに編入されたのが事実だが、これを不快とする欧米支配権力がメディアを駆使して「ロシアがウクライナ東部を略奪した」と歪曲して世界中に垂れ流してきた。


さらに欧米支配権力はＮＡＴＯにウクライナを組み入れて自分たちの支配下に置こうとしてロシアを挑発してきた。

また、ディープステイトの一員のジョージ・ソロスがナチス思想を信仰するネオナチに資金援助を行い肥大化させ、そのネオナチがウクライナ軍やウクライナ政府に浸食して一般のウクライナ人やウクライナ領内の一般ロシア人を虐殺してきた。

これをメディアを駆使してロシア軍がウクライナ人を虐殺しているという内容にすり替えて報道してきたのが実態だ。


仕掛けたのはもちろんディープステイトである。

長年にわたりロシアを挑発し、ロシアを追い詰めてロシアが軍事攻撃をするように仕向けてきたのである。

メディアを駆使して「ロシアが悪い」「ロシアが悪魔だ」とプロパガンダを繰り返し、世界中をロシア憎しの世論に誘導していった。

それはまるで今から80年以上前に自分たちの植民地支配に支配下に入らない当時の日本を追い詰めて挑発し、「日本が悪い」「日本が悪魔だ」と世界中にプロパガンダを垂れ流し、日本憎しの世論誘導を行いながら日本が戦わざるを得ない状況に追い込んでいった手法とよく似ている。

プーチン大統領を美化するつもりはないが、しかしメディアが垂れ流す内容を鵜呑みにしたままロシアが悪だと断じるのは極めて危険であるといえる。

邪悪な仕掛けに乗らないことが大切である。

今も継続するナチス勢力——日本人の無知さがウクライナ情勢を長引かせている

第二次世界大戦が１９４５年に終了した際にベルリンが陥落してヒトラーは拳銃自殺したと歴史教科書では記述されている。

しかし真相は替え玉が死亡してヒトラー本人はUボートで脱出し、南米諸国に亡命していたことが近年明らかにされてきた。

またナチスの優秀な科学者たちは密かにアメリカに移され、ナチスドイツはナチスアメリカになった。

定期的に大規模な戦争をアメリカが仕掛けるのは、ナチスアメリカ勢力が暗躍しているともいえる。

さらにはナチスアメリカから枝分かれしてウクライナに進出してナチスウクライナにもなっている。

そのナチスウクライナ勢力が、同じくディープステイト勢力に動かされているNATOに支えられ、ウクライナ領内でウクライナ人やロシア人を殺害してきた。

ナチスウクライナ勢力は日本にはない発想で、お金で雇う暗殺部隊の傭兵を活用し過激な思想に基づき、ウクライナ住民を2000年頃から殺害してきた。

ディープステイトにとっては想定外だったプーチン大統領の誕生によりプーチン体制を揺さぶることが目的だと見られている。

ナチスウクライナ勢力によるウクライナ人やロシア人への危害や殺害を再三再四止めるように呼び掛けてきたプーチン大統領に対して、ナチスウクライナ勢力はその手を緩めることなくウクライナ人やロシア人への危害を加え続けてきた。

これによりプーチン大統領はロシア軍を出動させてこのナチスウクライナ勢力を叩いているのだ。


つまりロシア正規軍とウクライナ正規軍とは戦争をしていない。

ナチスウクライナ勢力に雇われた傭兵軍団とそれを後方から軍事支援して戦闘を長引かせようとしているディープステイトに支えられたNATOをロシア軍が攻めてい

るという構図である。

ところがメディアはナチスウクライナ勢力が攻撃した跡地やその作戦の全てをロシア軍による残虐行為だとすり替えて報道し、これを鵜呑みにしている大多数の日本人はウクライナ人を助けるのだと叫んで募金活動を行っている。

日本人が純粋に行った募金はことごとくナチスウクライナ勢力に回り、日本人の募金はそのまま武器購入や傭兵のために使われる。早く日本人はこの事実に気付かなければならない。

さらには故意なのか無知なのか、岸田内閣は無条件でゼレンスキー大統領を支援し多額の資金援助を行っている。

これが世界の現実にはどのような姿に映っているのか。

日本政府はナチスウクライナ勢力を支援しているということになるのだ。

これはロシアに対する敵対行為にもなり誤解を招きかねない危険な行為である。

世界ではロシアへの制裁決議に賛成しなかった国のほうが多く、メディア情報を鵜呑みにしてロシア制裁を叫んでいる日本は少数派の部類に入る。

ウクライナ情勢が長引いているのは日本がナチスウクライナやNATOに資金援助を続けているからだという指摘も聞こえてくる。

日本国民一人一人がリテラシーを高めてメディア情報だけを鵜呑みにするのではなく、様々な媒体や声を比較検証して、事実はどこにあるのかを把握する姿勢を高めなければならない。

第３章

なぜ潰されていくのか⁉
日の目を見ない有益な技術

微生物は放射線物質を分解する——耐放射性細菌について

より良く生きるということが幸せへの鍵だといえるが、様々な利害が絡み合う中で本来なら人々に還元されるはずの技術や知識が棚上げされたままになり、人々が享受できていない事例が多々ある。

何かの素晴らしい発明を誰かがすれば、それが既存の既得権益を脅かすことにもなり、その既得権益者が力を持っている場合が多いため、多くの有望な発見や発明は潰されていく。

何かの真実を伝えることは即ち何かの業界の既得権益者の不都合な事実になる場合が多く、なかなか素晴らしい技術や発見、発明が世に流通しない。

その一つが放射線物質の除去であろう。

福島原発の爆発により我が国では福島県周辺地域は様々な放射線物質の影響が指摘され、多くの人々が故郷を追われた。

様々な対策が行われてきたが、なかなか効果が出ていないようである。

しかし地球には私たち人間が誕生する遥か昔から生命の大先輩である微生物が存在しており、この微生物の持つ様々な力は目を見張るものがあり、放射線物質対策はもとより様々な世の中の改善に関与する。

微生物には放射線物質を分解する能力のある菌がある。

それを耐放射線細菌という。

この数種類の耐放射線細菌を組み合わせて複合発酵させて放射線物質に汚染された地域に散布すると、数日から数週間で放射線物質が限りなくゼロになることが立証されている。

しかし福島原発の爆発により汚染されたエリアでは延々と除染活動が繰り返されてきた。

除染とは水で洗い流したり表土を削り取る方法だが、この手法では放射能そのものは移動するだけで消えないので全く解決にはならない。

福島原発周辺のエリアでは削り取られた残土が大量のフレコンに入れられ、そのフレコンが山積みにされている。


なぜ、このような効果に乏しい除染という手法が行われるのだろうか？

人類にはなす術がないのだろうか？

決してそのようなことはない。

除染という方法は様々な業者にとっては大きな収入源である。汚染された表土を削り取っても風が吹けば放射線物質は元に戻り、雨が降ればまた効果がなくなるなど、終わりがなく延々と除染が繰り返される。

すなわち、除染作業により大きな収入源を得ている業者や関連業界にとっては美味しいビジネスと化しているのだ。本来なら存在する放射線物質を消去できる技術や手法を導入しないと終わりは見えない。

放射線物質を完全に除去、消滅させてしまえば除染作業の必要性がなくなり除染ビジネスは終わる。しかしそれは非常に困ることなのだ。

これも既得権益者の都合で日本人が被害を受けている事例だといえる。


では、放射線物質を消去させる方法はどのようなものなのだろうか。

それは耐放射線細菌を組み合わせて発酵させる複合発酵という方法を用いた微生物を散布する方法である。

この方法は驚くべき効果を上げており、既に２００１年の段階で台湾政府の研究機関が着目して承認している。

この手法を発明したのは日本人であるにもかかわらず日本政府はまるで何かに怯えるように見向きもせず、また都市伝説扱いを続けているという愚かな現実がある。

微生物学博士や関係者が２０１１年10月9日、福島原発から39キロの距離にある福島県川俣町山木屋地区にて汚染された５０００坪の土地に複合発酵させた耐放射線細菌を散布して実証実験を行った。

メカニズムとしては、生えていた牧草ごと地面を耕し、この微生物を入れた資材を撒くと土の中の微生物が活性化してその作用により放射性物質が浄化されるというものである。

すると以下のような効果が表れた。

微生物博士がGMサーベイメーターで地表のガンマ線を測定したところ、2011年10月9日の実証開始日は放射線量が600〜700cpmあったものが3日後の同年10月11日には280〜350cpmとなり、僅か3日間で5割減少し、さらには同年12月22日には100〜200cpmとなり実証実験開始から2か月半で放射線量が7割減少している。

また株式会社日本環境調査研究所が実験場から土のサンプルを取り、総セシウム濃度（土1kg当たりのセシウム134、セシウム137の量）を分析したところ、2011年10月5日には17000〜44400ベクレル/kgだったのが、同年12月22日には398〜14600ベクレル/kgとなり、2か月半で放射性物質セシウムが40分の

1に減少している。

このような実験結果は何度行っても同じような抜群の効果を生じたが、何故か日本社会の反応は都市伝説扱いやデマ、詐欺紛いという扱いをして微生物博士や関係者の様々な取り組みを直視しようとはしなかった。

これが日本を今一つ飛躍させない日本社会の呪縛、頑迷さではなかろうか。

人類より遥かに古い微生物の歴史とその解決能力に着目せよ！

微生物の歴史のほうが人類の歴史よりも遥かに古く、また微生物の持つ様々なメカニズムはまだまだ未解明な内容が多いのだから、その効果に素直に向き合う姿勢が日本には必要だと感じざるを得ない。

本来なら普及しているべき微生物の効用、微生物による放射能物資の浄化が、利権のために妨げられているならば日本人にとって大きな損失だといえる。

そもそも人類誕生以前の地球は、宇宙空間からの強い放射線を浴びていて生命が生きることができない放射線量だったといわれている。

その地球に生命が誕生し私たち人類が生きていけるのは太古から地球に存在した微生物、つまり耐放射線細菌が地球上の放射線物質を生命が存在できるレベルにまで浄化したからに他ならないといえる。


広島と長崎に原子爆弾が炸裂された時、半世紀以上は人々が暮らせないだろうといわれたが現実には広島や長崎では直後から人々が暮らし始めている。

なぜだろうか？

実はこれは広島や長崎の土地に存在した耐放射線細菌などの微生物による影響ではないかと密かに着目され、アメリカの科学者も注目した。

その可能性は大いにあるといえるだろう。


また大津波や災害などで発生する膨大な瓦礫やヘドロの腐臭を分解してやがては無

害化していくのにも微生物の複合発酵法が有効であることがわかっている。

さらには日々の生活から廃棄される膨大なゴミを分解して石油を生じるオーランチオキトリウムという微生物も有望である。

不燃物を分解して石油にする微生物なのだから、これが普及すれば日本は瞬く間に都市油田が随所にできて石油大国になる。

それを普及させないのは既存の石油業界という既得権益であろう。

このようにあと少しで実は世の中は飛躍的に改善できる可能性があり、その鍵を握っているのは微生物及び微生物の活用次第だといえる。

いつまでも微生物の効用を都市伝説だ詐欺紛《まが》いだと眉をひそめるのではなく、素直に微生物の効用に向き合うべきであろう。

メディア情報を鵜呑みにするな！
ウクライナ戦争はハザールからディープステイトへの変遷で読み解ける

第４章

ロシアを隣国として認識する——私たちが見ているのはディープステイト側の報道

私たち日本人の大多数はロシアについてあまり多くを知らされていない。

常日頃から垂れ流されるメディア情報はディープステイトの都合の良いものばかりと知る必要がある。したがって敵対するロシアについてはバイアスがかけられた、色のついた情報を刷り込まれている。

これでは健全な判断の妨げになり世界情勢を見誤りかねない。

ロシアとは何なのかを真摯に紐解くことが私たち日本人が未来を歩む上で必要な視野であり、否定的でも賛美でもなく古来からの歩みを把握することが大切である。

いつしか私たち日本人は欧米ありきの情報や視野に染められているが、少し視野を広げてロシアを把握することでロシアと敵対関係にある欧米権力とその背後のディープステイトとを客観視できるようになればと願う。

北朝鮮に関する情報も大多数の日本人には韓国経由やディープステイト経由の内容ばかりであり、ロシア情報と同様に非常に偏った認識になりがちである。

ロシアも日本海を挟んだ日本の隣国であるのだから、日本のために日本人としてロシアを真摯に紐解く視野が大切である。

日本とロシアの交流のはじまりは、江戸時代からか!?

日本人とロシア人との親和性は高い。

音楽や文学作品では優れたロシア人作家や音楽家もよく知られている。

ロシア人女性と結婚する日本人男性もいる。

さらにロシアは科学技術も優れアカデミーも充実している。

そのロシアをなぜ、日本人はあまり知らないのだろうか。


日本とロシアはいつから遭遇したのだろうか。

遡れば江戸時代あたりであろうか。

大黒屋光太夫が漂流してアリューシャン列島に漂着しシベリアを横断してエカテリーナ2世という女帝に謁見している。

エカテリーナ2世としても当時は珍しかった日本人への好奇心から大黒屋光太夫を厚遇して手厚く庇護して日本へ戻した。

しかし江戸幕府からすれば見てはいけない外の世界を見た人物として大黒屋光太夫は軟禁され、その後は終生外出すらできない状態のまま生涯を閉じている。


また淡路島に生まれた高田屋嘉兵衛も漂流したことがきっかけとなり、ロシア役人と遭遇し、捕らわれた間に様々な見聞を重ね、また交渉もしている。

江戸時代後期にはラクスマンが根室に現れたりしながら水面下で江戸幕府と交渉をしている。

日本人とロシア人との遭遇は江戸時代あたりだと見ることができる。

では今のウクライナ情勢はどう見るべきだろうか。

メディア情報を鵜呑みにしていては判断を誤るのでメディアの内容に左右されない真摯な視野で欧州とロシアの関係を回顧し俯瞰してみたい。

発端――今のウクライナにあったハザール王国とロシアとの摩擦だらけの歴史

7世紀あたりに今の黒海やクリミア半島あたりに存在したハザール王国は執拗にロシア支配を狙った。

このハザール王国は今のウクライナに相当する領土であった。

このハザール王国に端を発する人々をハザール人と呼ぶことにする。

ハザール人はロシアの村や町を襲って誘拐したロシア人を東洋の奴隷市場に売り払っていた。

しかし965年から969年にかけてロシア皇子のスビャトスラフがハザール王国の首都イティルを襲撃し、ボルガ川沿いにあるハザール王国の中心部を壊滅させた。

さらに1113年（日本では平安時代後期）にロシア皇子ウラジーミル・モノマークは以下の法律を制定した。

「今後、全てのハザール人はロシアから追放され存在は認められない。もし密かに国土に踏み込む者がいれば、その者から略奪しても、その者を殺害しても構わない。この法律は全土にわたって速やかに施行されるものである。今日限りロシアからハザール人を追い払え」

ちなみにハザール人とは自称のユダヤ人である。

人類史を真摯に俯瞰した時にユダヤといわれる存在には正統ユダヤと自称ユダヤとがあり、正統ユダヤとはアブラハムから血統が繋がる血統のことで、実はそれが大多数の日本人を構成している。

これに対して自称ユダヤとはユダヤ教を信仰することで団結している存在で血統で

はない。

これがハザール王国を成していて、またそのユダヤ教により団結しユダヤを名乗っている存在を私は今後、正統ユダヤと区別するために敢えてハザール人と呼称することにする。


また急には理解しがたいかもしれないが、正統ユダヤは大多数の日本人の中枢となっている。ここでいうユダヤという意味は漠然と私たちが認識している存在ではなく厳密にいえばヘブライである。

この件についてはまた改めて別の機会に述べることにして今は日本人としてロシアを把握する必要があるという視点から述べていきたい。


さて11世紀末から12世紀にかけて今のウクライナの首都キエフではロシアの民衆と搾取を続けるハザール人商人や高利貸しとの間で衝突が生じていた。

１１１３年春にはキエフで暴動が起き、高利貸しで得た担保を法外に高い価格で売りさばいていたハザール人高利貸しの家々が略奪に遭っている。

キエフのハザール人がスビャトポルク・オカヤニーの治世下で自由と権力を得た結果、多数の商人や職人が破滅している。

スビャトポルクの死後、キエフの人々はハザール人を殺害して彼らから略奪をしている。

この暴動の後、ウラジーミル・モノマークは法令を定め貸付利息の上限を20パーセントと厳しく規定したためにハザール人商人や高利貸しの活動は弱体化した。

しかしそれでも法外な高利の貸付を続けるハザール人商人がいたために、1124年にはキエフでハザール人地区の家屋が焼き討ちに遭っている。

この問題はこのような法外な高利貸しを生業としたハザール人とそれにより破滅させられた人々の恨みから発している要素が強く、根深いものである。

ウラジーミル・モノマークによるハザール人排斥後にロシアにおけるハザール人の活動は一時的に沈静化した。

しかし11世紀後半にハザール人秘密政府の代表者が再びキエフに現れるようになった。

この頃、世界中にハザール共同体を作る動きが活発化し世界中のハザール共同体を単一ハザール人センターの下に結集して一本化しようとする動きが出ていた。

12世紀中頃になるとキエフが次第に衰退していったが、ハザール商人は北東に拠点を移し悪質な高利貸しが行われるようになった。

これによりロシア人とハザール人との激しい抗争が再燃した。

さらにハザール人高利貸しの人々の中には、ロシアの有力大貴族や大公の側近にまで食い込んでロシア人にさらなる被害をもたらす者も現れている。

15世紀から17世紀にかけてハザールの代表者たちは違う新しい方法でロシアの転覆を図るようになった。

１４７１年にはハザール人による秘密結社が誕生して結社の主要な目的はロシア政府や教会への浸透と定められた。

彼らはモスクワに現れるようになり、イワン3世の側近を含むごく少数の有力な政治指導者を意のままに操ることに成功する。

彼らはやがてモスクワ大公国最大の教会の司祭や多数の貴族、ロシア外交政策責任者、王位継承者の側近からも寵愛され、事が上手く進んだかに見えたのだが、首謀者の1人が正体を露見させ、これにより結社の指導者たちは処刑された。

これによりハザール人移民は再び禁止された。

この当時、モスクワの人々はハザール人に我慢ができなくなっており、ロシア人全体としてもハザール人を忌み嫌いハザール人の名前を聞いただけで嫌悪し、ハザール人がロシア国土に足を踏み入れることを許さなくなっていく。

イワン雷帝は以下のように述べている。

「ハザール人はロシアに品物を持ち込んではならない。彼らはあらゆる不幸の種を撒き散らしロシアに有害な品物を持ち込んできた過去があるからだ」

ハザールから今のディープステイトへと到る過程

ハザール人結社はやがてロシアの王位を望むようになり、ますますロシア人大衆からの憎悪を増幅させていく。

このハザール人結社がやがて今日のディープステイトへと到るのだが、今のウクライナ情勢はこのようにいにしえからの根が深い因縁がある。

やがて日本もこのハザール人結社によりロシア潰しのために利用されるようになっていく。

日本を護るためにロシアを知る必要がある。

何事も偏らない視野で俯瞰することが大切である。

メディアから垂れ流される内容を鵜呑みにせず、私たちは肯定も否定もしないでロシアについて、また欧州権力とロシアとの関係について知る必要がある。

ロシアはモスクワを中心とした欧州ロシアとシベリアからウラジオストクの極東ロシアとに風土的に分かれるが、私たち日本は極東ロシアと隣接している。

当たり前のことだが日本とロシアとは隣国である。


古来よりロシアは今のウクライナ一帯に相当するエリアに発祥したハザール人との関係に摩耗し、それに抗い浸食された歩みの蓄積にある。

ハザールはやがて今日のディープステイトになっていくので、ロシアを知ることは日本人にとって大切である。


17世紀になるとハザール人は従来にも増してロシアに侵入し続けていく。

1667年にロシアとポーランドは平和条約を締結するが、平和条約締結後に多数のハザール人がロシアに定住を始める。

そのハザール人たちは次第に周囲の人々と同化しキリスト教を信仰するようになった。

１６７８年にロシアとポーランドとの平和条約が改定されると地域住民とハザール人との関係は緊張していく。

条約内容がポーランド人やリトアニア人商人には認めたモスクワへの出入りをハザール人商人には認めなかったことが原因だった。

ロシアからすれば積年に及ぶ過去の経緯からの判断であろうがハザール人からすれば恨みになっていく。

17世紀末にはポーランド占領後にロシアに返還された西ウクライナにハザール人の永住者が現れるようになり、アルコール飲料や飼料販売、農園管理に携わりロシア人小作農を格好の餌食にしていくようになる。

やがてハザール人に管理された村は数年で過疎化していきロシア人小作農の多くが餓死した。

このような状況を受けてアレクセイ・ミハイロビッチ皇帝はハザールのイデオロギーが流入することを阻止しようとする。

皇帝はモスクワや他の主要都市にハザール人が移民することを禁止し、これに逆らうハザール人は即座に追放した。

1654年にアレクセイ・ミハイロビッチ皇帝はハザール人の地所の全てを没収する。

ハザール人は他国に侵入することも巧みだが、いつの間にかその土地の支配や管理、その他様々な分野で支配側に立つことが多く、そのような能力に長けているのだろう。

しかしその手法が地域住民を摩耗、破綻させる事例が多く、時の為政者から追放される歩みが多いといえる。

アレクセイ・ミハイロビッチ皇帝以降のロシアの為政者は、ハザールのイデオロギーを持つ者に対して厳しい姿勢を取るようになる。

ピョートル1世は多数の外国人のロシア入国を許可したがロシア出身のハザール人は社会的にも政治的にも有害だと決めつけて入国を認めないようにした。

ピョートル1世は、

「私はハザール人よりも他の教徒か多神教教徒にお目にかかりたい。ロシアのハザール人には今後も住居や仕事を与えない。いくら私の側近を買収しようとしても無駄だ」

と述べている。

1740年12月2日、ピョートル1世の娘であるエリザベス1世は議会に出した勅令にてロシアに不法入国しているハザール人の大量追放を命じた。

エリザベス1世はロシアの金銀をハザール人が持ち出しているためにロシアの金銀が危機に瀕していることを強調する。

これにより3万人のハザール人がロシアから強制退去させられている。

ここでハザール人はロシアへの恨みをますます増幅させたことは想像に難くない。

ハザール人は今日のアシュケナージになっていくが、アシュケナージとは血筋というよりもユダヤ教を信仰する人々の集団の一つだといえる。

1772年に最初のポーランド分割が行われた際には既に10万人のハザール人がロシア市民権を得ていた。

さらに1793年と1795年によるポーランド分割によってロシア領が増えた結果、ロシア領内のアシュケナージは倍増する。

それをエカテリーナ2世は憂いて、

「些細なことが今、重大事になりつつある。ロシアは欧州で最も多くのハザール人を甘やかしている」

と書き残している。

ハザールは中央政府に食い込むことに長けており、いつしかロシア中央政府にも食い込んでいく。

それを抑制するためにエカテリーナ2世は定住線を定め、明確な居住区を定め、ハザール人はその境界線を越えて往来することを禁じる。

エカテリーナ2世からすればハザール人の搾取からロシア人小作農を救おうという視野なのだが、定住線の内側に封じ込まれたハザール人は村で生活できなくなっていく。

キエフ、セヴァストポリ、ヤルタでもハザール人は生活できなくなっていく。

さらにエカテリーナ2世はハザール人がワインの醸成や販売に携わることも禁止する。

今日の欧州権力はディープステイトによるネットワークであり欧米権力と化してきたが、それはアシュケナージによるものだった。

なぜ、欧米権力は執拗にロシアを叩くのか、その起因はいにしえの時代の深いところから出ていることがわかる。

今のウクライナはいにしえの時代からのアシュケナージの牙城だったこともあり、ロシアに対する欧米権力の執拗な憎悪はここに震源があると知る必要がある。

同時に、この欧米権力を構成するアシュケナージは一般の欧米人とはまた違うものであり、それが複雑な構図を生んでいる。

日露戦争の時のように日本が再び利用されないように

いかにしてロシアを潰すかということが欧米権力の視野となり、時にその視野の中に日本が巻き込まれ利用された感が否めないのが日露戦争であった。

日本が受ける地政学的な立ち位置からもロシアに関する認識は日本人の盲点でもあり、その教訓も踏まえたロシアへの認識は今後ますます必要になっていくだろう。

世の中が目まぐるしく動いている今、私たち日本人は地政学的な要因による視野の限界を取り払い、世界人としての日本人になる必要を感じている。

しかしそれは自分たちを否定して他のすべてを認め受け入れるという視野ではなく、日本人としての自我や文化をしっかりと堅持した上で、例えば日本に暮らしながら世界を知る、世界を理解する、他国の方々とも交流するというものである。

そして世界的な議論や意思表示ができる日本人でありたい。

日本が島国で欧州と隔離されてきた地政学的な要因から、日本人の中には島国根性が染み付いて視野狭窄でムラ社会の中で永遠の隔離に生きる人々も少なくない。

そのような島国根性の染み付いた人々を私は島国人と呼称したいが、日本を大切にしながら視野を広く持つ開明的な世界人として生きたいものである。

世界人としての東郷平八郎——世界を感動させた日本海軍の司令長官

歴史を振り返れば日本人にも世界人がいた。

例えばその1人が東郷平八郎である。

折しも今、ウクライナ情勢を巡りメディアが垂れ流す偽り情報に翻弄されて多くの日本人が判断を誤っているが、欧州権力とその分家であるアメリカ権力と対峙してきたロシアを知ることにより、日本人の地政学的な限界を打破していく視野を開きたい。

欧米権力にとっては目障りな帝政ロシアを弱体化させたい思惑に取り込まれて利用されたのが、先の日露戦争であった。

大多数の日本人はロシアの南下を防ぐために必然的に日露戦争が生じたと思わされているが、当時の満州から日本を追い出して利権を得たい思惑があった欧米権力は同時に目障りだった帝政ロシアをも弱体化させたい思惑があり、巧みに双方を誘導して日本と帝政ロシアとを衝突させたという背後関係も否定できない。

欧米権力から見れば極東に位置する帝国の日本は極東におけるイギリス帝国のような存在であり、欧米権力の中枢がこれを利用しないはずがない。

もっと厳密にいえば、地球を支配してきた支配階級が欧州のイギリス帝国を背後から動かして当時の日本に働きかけて帝政ロシアと衝突させたと見るべきであろう。

その歴史風景の中、世界中が注目する中で、日本と帝政ロシアとが激突する日露戦争が生じた。

無敵を誇った白人国家に対してアジア人の日本が戦う。人類史上初めて有色人種が白人国家を撃破した人類史的な風景となった日露戦争で、世界人として日本を救った東郷平八郎に着目してみる。

アジア、アフリカ、トルコなどから見ても無敵とされた白人国家をアジア人の日本が撃破した風景は狂喜乱舞の出来事であり、その後の各国の視野を変えていった。

今でも多くの国々で東郷平八郎が尊敬されている意味がよくわかる。

日本海海戦でロシアのバルチック艦隊を撃破した日本海軍の司令長官は東郷平八郎。世界史的にも稀な完全勝利を果たした。その際、ロシア海軍のロジェストウェンスキー中将を捕虜にした。

そしてロジェストウェンスキー中将は佐世保の海軍病院に入院した。

その時に東郷平八郎が見舞いに訪れるわけだが、東郷平八郎の人格的魅力が世界中に知れわたり、多くの他国の幹部が敬服するに至る風景がここで生まれる。

基本的に日本は後の大東亜戦争においても対戦相手の捕虜を国際法に則り丁重に対処している。

日本人捕虜は苛烈な扱いを受けた事例が多い中、日本がほぼ一貫して行った捕虜の扱いは極めて人道的だった。

ベッドに横たわるロジェストウェンスキー中将を見舞った東郷平八郎は、

「生命を取り留められて何よりです。勝敗は兵家の常であって必ずしも恥ずべきことではありません。要はただ祖国のために立派に戦って、その本分を尽くしたかどうかということです。私は今回の海戦で貴艦隊が2日にわたって勇戦奮闘された実状を見て真に感動しました。とくに閣下が重傷を負われるまで敢然としてその職務を尽くされたことに対し私は心から敬意を表すると共に真にお気の毒に思います。当病院は捕虜収容所ではないのでいろいろご不自由もありましょうが、どうかご自重ご自愛されて1日も早く全快されることを祈ります」

と見舞いの言葉を述べた。

この対戦相手としては世界的には有り得ない言葉にロジェストウェンスキー中将は感激して、

「私は名誉ある閣下のご丁寧な訪問を受けたことを光栄に思います。そして温情ある閣下のお言葉は傷の痛みも忘れるほど嬉しく思います。まことに感極まって何と申し上げて良いかわかりません。どうか私の胸中をお察しください」

と言って深くうなだれた、と記録に残っている。

これに対して東郷平八郎はさらに、

「粗末ではあるが閣下のために病院船を一隻準備させておきます。少し回復されて帰国を希望されるようになったら、いつでもご用命ください。閣下の部下将兵の待遇は東郷がお引き受けしますから、どうぞご安心してご加療ください」

と告げている。

ロジェストウェンスキー中将は、

「重ね重ねのご厚意を深く感謝します。後日、部下と一緒に帰らせてもらいましょう。私は閣下のような提督と戦って敗れたことを少しも恥とは感じません」

と返事をして、そして東郷平八郎長官とロジェストウェンスキー中将は固く手を握って別れた。

この東郷平八郎連合艦隊長官の振る舞いは世界中に感動をもって今も語り継がれている。

乃木希典の敗れた敵将ステッセルに対する扱いも同様に感動をもって世界中に語り継がれており、当時の日本の幹部は世界史に堂々と語り継がれる世界人だったといえる。

混迷の世界情勢の中、可能な限り事実を知りながら、私たちも世界人としての日本人として凜として生きていきたいものである。

第5章

暗黒日本と緊急事態条項——なぜ危険か⁉ なぜ絶対に成立させてはならないのか⁉

この思考停止列島に迫り来る統制社会の足音

2023年3月7日、珍しく今の野党陣営がニュースになっていたので何だろうかと思って見たところ驚愕した。

3月中に緊急事態条項の条文案と憲法改正で日本維新の会と国民民主党のそれぞれの国体委員長が合意したとのことだった。

正気なのかと目を疑った。

この小さなインターネット記事に大多数の国民は何も感じないのだろう。

そもそも一連のコロナ禍以来、垂れ流されてきた緊急事態宣言と緊急事態条項との違いもまだまだ多くの日本人には識別できていないように見受けられる。

雑踏の中から漏れ聞こえてくる会話では「感染を防ぐためには緊急事態宣言は避けられない」という程度の内容もあるほどであった。

思考停止とはまさにこのことである。

もはやテレビのワイドショーやニュースが報じない限り、事実として存在しないという思考回路にされてしまっている今の大多数の日本人は、支配階級が資本を握るメディアにまるで赤子の手をひねるかのような容易さで刷り込まれ、誘導されていく。

今の大多数の日本人はテレビ脳と化し、物事を映像でしか認識できない思考回路にされている。

同時に日本人の多くは本を読まなくなった。

文明が維持できるのかという疑念すら生まれるほどの深刻な活字離れが生じており、大の大人が本来は備えているはずの言葉力や語彙力、抽象的思考力、物事を認識していく継続力を失っている。

ピクチャー脳である。

従ってワイドショーが報じなくなればそのまままきれいに頭の中から消え、ワイドショーが示す次の話題に完全に染まっていく。

テレビがマスクを煽れば一斉にマスクを着用して離さず、ウイルスの脅威を煽ってワクチン接種を煽れば一斉に疑うことなくワクチン接種会場に向かう。

知り合いが接種翌日にゴルフ中に倒れて帰らぬ人となろうが、若いプロ野球選手が接種後30日程で死亡しようが、接種会場の目の前で接種した人が倒れようが疑うことなく接種に並ぶ。

絶え間なく救急車が往来し運び込まれる遺体の火葬が追い付かず、多くの遺体が食品会社の冷凍庫に冷凍保存されている。火葬場の惨状を聞いてもテレビではマスク着用やワクチン接種が推奨され続け、目の前や周囲の現実の風景を見ても画面のコメンテーターや御用学者のコメントを信じて接種会場に走る姿を晒し続けたのが今の大多数の日本人であった。


まさに思考停止列島である。

ダイヤモンドプリンセンス号が横浜港に入港して以来、日本にも新型コロナウイルス禍が始まった。

それ以来、様々な命に関わる本質的な物事が炙り出されてきたが、新型コロナウイルス禍の3年が経過してもなお、与党も野党もいまだに何一つ本質的な内容を国会で取り上げず、また各政党も当たり障りのない無難な内容ばかりを殊更に大袈裟に訴えてきた。

与党も野党も世の中の現実に目を向けず予防接種法改正案を全会一致で可決し、日本国民にワクチン接種の努力義務を課し、憲法で保障されている基本的人権を蔑《ないがし》ろにした。

コロナ禍が始まって以来、3年間で何一つ本質的な議論や働きをしなかった与党、野党の全ての政党は一体何を基に有権者に信を問うのだろうか？

それでもメディアに刷り込まれてメディア情報に立脚して生きている多くの国民が眠ったままの状態だからこそ、粉飾活動と虚偽報告を重ねながら活動する演技をしているにすぎない各政党や各議員は助かっているだけである。

表向きの姿とは違う世の中の構図

アメリカのトランプ大統領のSNSが凍結されたことは記憶に新しい。

これは何を意味するだろうか？

SNSを運営するIT企業が大統領のSNSアカウントを永久凍結できるほどの力を持っているという証である。

多くの日本人は企業が大統領より力を持っているということに想像すら及ばないだろう。

教科書的な内容を刷り込まれ、国会は国権の最高機関であり唯一の立法機関であるという説明は、現実社会に生きれば御伽噺《おとぎばなし》レベルの戯れだとわかる。

国会は現実の世の中において支配階級から見れば末端の場にすぎない。

ましてや国会に所属する国会議員は支配階級から見れば駒の一つにすぎない。

それぞれの国会議員は各政党に所属しなければまともな活動は展開できず、各政党は陰に陽に様々な組織や団体を通じて支配階級の支配下に置かれているために各国会議員は各党の幹部から出される指示や方針には逆らえない。従って、資本や企業群を通じて各党幹部を支配下に置いている支配階級の意向を受けた各党幹部より出される方針に反して事実や本質的な内容を国会で追及したり、国民に告知する国会議員はいつの間にか排除されていく。

国民の側を向いて活動するために無所属になって選挙を戦えるのは自治体議員の選挙までが限界であり、国政選挙になればまとまった数万票から10万票以上の得票を得なければ当選できないために無所属での当選は稀な事例を除けばほとんど不可能に近い。

それゆえに、コロナ禍が始まってからの3年間でコロナワクチンや世の中の様々な本質的な内容を発信していたのは日本全国の中で僅かに数名の自治体議員だけだったという光景になるのである。

国会議員や自治議員のほとんど全員、多くの経営者や公務員、老若男女はメディア情報に誘導されるがまま、決して自分で物事を考えようとはせず、また少数ながら周囲にメディア情報とは異なる内容を述べる者が現れると徹底して「陰謀論者だ」「都市伝説だ」「協調性がない」と批判の対象としてきた。

残念ながら見事に飼い慣らされてしまった姿になっているとしかいいようがない。

歴史に学ぶ必要——現代は過ちが繰り返される瀬戸際にある

歴史は繰り返す。

古今東西の歩みを見れば明らかである。

時代が変わっていく中で文化や物質、通信などの手段は進歩していくがそこに存在する人間そのものの喜怒哀楽や本質、人間そのものとしての姿は古今東西変わらない。

人々の歩みの堆積を歴史と呼ぶならば、人間はいつしか同じ歩みを繰り返す。

だから歴史は繰り返すのである。

人間の歩み、息遣い、喜怒哀楽、流した涙や血塗られた足跡の堆積が歴史ならば、その堆積の中に学べば様々な教訓を得るはずである。

それを歴史に学ぶという。

歴史を学び歴史を知ることも大切なことではあるが、最も大切なことは歴史に学ぶことである。

歴史に学ぶことを忘れた時に、国家や人々はいつか同じ轍を踏み同じ過ちを繰り返していく。

思考停止の日本列島全体を包み込む空気が同調圧力を生み、予定調和と模範解答の中に人々を追い込んでいる。多くの日本人はよくできた回答の中に自縄自縛となりながら、本音では苦しんでいる。

歴史を振り返れば、ほんの80年ほど前まで日本は言論統制が激しく皇国史観に染まり、学問上の表現すら検閲が激しく、演説も制限され、国民は政府への協力という名の下にいつしか徹底的な監視下に置かれた。

わずか80年ほど前の姿をほとんどの日本人はもう忘れたかのように見える。

敗戦によりGHQが占領政策を進める中で、これまた徹底的な言論統制や検閲、焚書を行い、今度は日教組などを通じて徹底的な自虐史観と自国の否定を刷り込んできた。

日本社会は極端な姿に振れる傾向があるのかもしれない。

テレビをつければ連日連夜にわたり、娯楽番組が流れスポーツのイベント等が繰り広げられている。

あたかも平和でのどかな何も深刻な危機が漂う気配すら感じられない……ついこのように思いがちである。

イーロン・マスク氏が日本人はコロナワクチンにより新生児の2倍の人数が犠牲になったと述べても、テレビをつければ連日のように娯楽番組やスポーツイベントが映し出され、画面を前にほとんどの日本人は現実から乖離した画面の世界に引き込まれていく。

連日、娯楽番組を見ることに慣れてしまえば、大臣が「コロナワクチンが危険だという説はデマだ」という発言も本当だと感じてしまうのだろう。

トランプ大統領やプーチン大統領のことを連日酷評しているメディア情報に立脚している大多数の日本の政治家や企業人、有権者の方々は、この2人ほど酷い人物はいないかのような刷り込みを真に受けている。

さらに、世の中の現実は全く違う姿を見せているにもかかわらず、99％に近い日本人はメディア情報の御伽噺の中に生きている。

そうして忍び寄る危機に気付かない。

考えてみよう。

先述したように、トランプ大統領のSNSが凍結されたということは大統領よりもIT企業のほうが力が上だということである。

なぜか？

IT業界は各国政府よりも優位に立つ支配階級であり、無尽蔵に近い資本を有しており、その支配階級の資本で作られた多国籍企業だからだ。

多国籍企業は国境に関係なく地球規模で事業を展開する、社員数が10万人以上も存在する巨大企業である。

当然ながら多国籍企業の資本主である支配階級は各国政府よりも資金を有し、決定権も持っているために総理大臣や大統領を超越した存在であり、その資本下にあるIT企業のほうが大統領よりも力は上なのである。

この世の中は教科書で学ぶ姿とは乖離した現実で動いているのである。

トランプ大統領のような一国の大統領ですらSNSのアカウントを凍結されるのである。

ましてや我々のような一般国民ならどうなるだろうか?

推して知るべしである。

今の日本の政治家も落選したくないために、ほとんどは企業や各団体の支配下に身を置き、支配階級の意向には逆らえない。あるいは幹部クラスの国会議員でなければ歯牙にもかけられず圧力をかけられることもないが、単に無知という場合もある。

総じて世の中や時代の本質に触れることなく、思考停止状態の日本列島は内部から溶解するかのような危機の姿を晒している。


いつか来た道を繰り返す恐れが出てきた。

支配階級が各政府を通じて、全ての人類を徹底監視と徹底管理下に置きたい。

そのための手段としてデジタル化が推進されている。

あらゆる物事をデジタル化、電子化させて管理監視の下に置くのである。

例えば、今はまだクレジットカードが使用不可となった場合でも現金を持っていれば買い物や決済ができる。

しかし、もしも現金が法的に禁じられ、全ての決済や買い物などあらゆる行為が端末によりデジタル化されたならば、端末が使用不可にされた場合は社会生活自体が不可能にされてしまう。

この意味が未来予想図としてどれだけ深刻に感じられるだろうか？

全てが端末で行われる時代が目の前に迫っている。

少なからぬ人々はＳＮＳ等で何かの意見を書き込んだだけでアカウント使用停止とされた経験があるだろう。

特に検閲が激しかった２０２１年には私も記憶にあるだけでＳＮＳアカウントが５回ほど、30日間投稿停止とされてしまった。

これがもしデジタル通貨になり、現金が廃止され、全ての営みが端末を通じてのみ行われる仕組みにされたならどうなるだろうか？

支配階級に対して不都合な言動をするあらゆる人々は、各国政府を通じて徹底的に管理監視の下に置かれ、ＳＮＳやインターネット上で不都合な内容を投稿したり政府批判の言論を展開したならばアカウント停止や凍結をされる。このように簡単に端末が停止されるような事態が現実になるのである。

そうなれば一瞬にしていつか来た道に戻る。

徹底した言論統制と弾圧が容易になるではないか。


今、私たちはいつか来た道を繰り返そうとしている。

歴史は繰り返すのである。

文明の利器に酔い、電子書籍やデジタル化などペーパレス化社会という表現に酔い、全ての公文書や記録を電子化したとしたならば不都合な記録や資料は削除されてしまいかねない。

改竄も証拠を残すことなく簡単にできてしまう。

人間の文明と書類などの紙はやはり不可分であろう。

紙で残すという方法は絶やしてはならない。

通貨も同様である。

水面下で進む緊急事態条項の真の恐さに人々は気付いていない！

このような状況の中、決して日本人のために活動をしているとは言えない国会で緊急事態条項の条文の整備が進められている。

緊急事態条項は日本人が思考停止のまま声を上げずメディア情報の中に眠り続けていれば、一気に可決成立してしまう恐れがある。

世の中が変わる時は一瞬である。

アッと声を上げた時にはもう遅く、人々のあらゆる権利が制限され政府を通じた権力があらゆる権限を行使して人々を統制していく。

歴史は繰り返すのだ。

緊急事態が生じた時には政府に協力しなければならない。

ともすればもっともな内容に聞こえる。

緊急事態とは、例えばパンデミックや大災害、究極の形では戦争である。

そのような事態の下では政府批判は許されない。

個人の権利や権限を制限しても非常事態下という大義名分の下で誰もが疑問に思わなくなる。

稀に政府批判や戦争反対、あるいは神武天皇以前にも王朝があったという学説を唱える者が現れれば、憲兵が飛んできて投獄されたのはわずか80年前の日本社会である。

ここに逆戻りしかねない。


「そのようなことがあるわけがない……」

「まさか今のこの平和な時代にそのようなことが……」

連日テレビ画面を眺めながらこのように考えているとしたら甘い。

体制が変わる時や世の中が崩壊する時は一瞬なのである。

声を上げる間もなく言論統制、権力による徹底監視と管理が断行されてしまってから地団太を踏んでも投獄されていくだけである。

人間は人間としての尊厳を踏みにじられた時には、怒りを示し社会的に言動をしていく必要がある。

それが人間の尊厳を守ることになるのである。

何をされても声を上げない状態を奴隷という。

支配階級は人々を可能な限り都合よく統制したいのだ。

先人たちが時に命を投げ打ってまで獲得してきた言論の自由、学問の自由、基本的人権を思考停止の中で放棄するような醜態を晒してはならない。

そのような醜態を晒せば、黄泉にいる先人たちにどのようにして顔向けできるのか。


非常事態が生じたならば、あるいは政府が非常事態を宣言したならば全ての国民は政府に協力しなければならないとされる。

協力といえば聞こえがよいが、何事も悪用や転用されない保証はない。

非常事態下での協力という名の下に個人の言論は制限され、政府批判は許されなくなる。

個人の財産は制限される。

非常事態下では内閣に全権が委ねられ国会を開かなくても閣議決定で全てが決められていく。

もしもヒトラーのような独裁者が現れたらどうするのか？

今の時代、日本でそのようなことは有り得ないと言えるだろうか？

いつの時代も想定した通りに世の中は回らないことが繰り返されてきた。

権力が暴走した時に誰がどのようにこれを止めるのか？

憲法改正案の中では基本的人権の尊重が削除されるとの懸念も指摘されている。

人権と言論の自由、学問の自由、生存権は先人から引き継いだもの、なんとしても守り通さなければならない。


懸念されることとして挙げられるのは、非常事態下での統制のために権力が故意に非常事態を作り出すことである。パンデミックや大災害、戦争という非常事態は今や支配階級により簡単に作り出せることは明らかになっている。近代以降の世界規模の戦争はことごとく支配階級の利益のために仕組まれたものであった。何も知らされていない各国政府以下、一般の国民がそれぞれの立ち位置で犠牲になっていったのである。

常日頃であれば実行できない政策も、非常事態下であれば誰もが疑問を抱かずに従う。これをショックドクトリンともいう。権力は時として、平常時であれば多数の抵抗に遭う政策や方針も、非常事態を作り出してしまえば容易に実行できることを知り尽くしている。

歴史が証明しているではないか。

過去のあらゆる非常事態は意図的に仕組まれたものだったという事例が一体どれだけあっただろうか。

再び暗黒社会に戻らないようにするためには、今が正念場である。

日本を日本のまま存続させ未来に継承していくためには、今が踏ん張り時なのである。

先人たちが多大な犠牲を払って築き上げた今の日本の姿を失うことがないように、今ここで私たち日本人が踏み留まらなければ未来に大きな禍根を残してしまう。

緊急事態条項成立のために仕掛けられる戦争

この地球上に君臨し、あらゆる領域分野を裏側から支配、各国政府をも動かしている支配階級のダークサイドはこれからあらゆる手段を駆使して、

・日清戦争のリメイク版
　↓今の時代の日中戦争
・日露戦争のリメイク版
　↓日露戦争の再現

を引き起こそうとしているので、絶対にこれに乗らないことが大切である。

自衛隊ヘリが撃墜された疑いを感じさせる形で墜落する事件が生じたが、この事件が戦争や緊急事態条項成立のために利用されないようにすることが重要である。

戦争こそが支配階級の最大のビジネスである。

戦争の危機を作り出し、それにより各国を統制できる。

今は戦争の勃発もしくは戦争のリスクを高め、非常事態に備える必要性を作り、一致団結を謳い、緊急事態条項の成立を試みる危険性がある。


戦争とパンデミックを同時に仕掛ければ、世界中はあっという間に非常事態になる。

それが狙いである。

非常事態の下では政府への協力が求められ、言論統制や個人の権利の制限、財産の制限、内閣への権限強化で政府批判が封じられてしまいかねない。

戦争で既存システムを破壊し、リセットできるために支配階級の描く次の世の中へと作り直すことが容易になる。


このような仕掛けに乗らないように皆で警戒しなければならない。

思考停止に陥る日本人を待ち受ける事態
——阻止したいがこのままでは無理だろう

2020年2月、横浜港にダイヤモンドプリンセス号が寄港して以降始まった日本での一連のコロナ禍により見えてきたものがある。

それは日本人や日本社会の持つ良さは、逆手に取られた場合にどうにもこうにも身動きが取れなくなる自縄自縛社会にもなり得ることである。

一連のコロナ禍は突発的な自然発生による感染症ではないのは自ら能動的かつ主体的に情報を得ている方々なら周知の事実であるが、支配階級が10年以上も前から計画的及び用意周到に仕組んだ全世界的な動きであった。

では、何のために支配階級はそのような手の込んだ仕掛けを行うのだろうか？

それはこの地球や世界を意のままに臨む方向に誘導し、自らが描く新たな管理社会に導くためである。

日本人ほど既存メディアを信じて疑わない国民性は珍しい。テレビや新聞が報じないことは事実ではない、存在しないと信じ切っている人々が多数である。

以前にフランスの国営放送局の方々が、余りにも日本人が諸事実を知らなさすぎる現実を疑問に感じて、日本のメディアがどのような内容を報道しているのかを調査した。１週間ほど日本に滞在して終日テレビを観察し、唖然としたそうである。

朝から晩まで垂れ流されるのはバラエティー番組や料理番組、スポーツ中継やお笑い番組、時々ニュース番組はあるものの全く本質的な内容を報じない。そうして夜になればまたニュース番組が流されるが、全く世の中の本質が報じられていない内容にフランス国営放送局の関係者が驚愕し、日本のメディアの惨状に呆れたとのことである。

あまりにも何も知らされなさすぎる日本人のことを哀れんだフランス国営放送の関係者は当時、兵庫県西宮市に在住していた元自衛隊幹部の自宅を訪れて日本のメディアの酷さを述べて日本人を心配していたと仄聞《そくぶん》している。

先進諸国の中でもテレビや新聞を信じる割合は日本が他の先進諸国に比べて圧倒的に高い。

この従順さ、権力や権威を疑わない国民性が良い方向に機能すれば強いのだが、今回の一連のコロナ禍のように逆手に取られてしまえばどこまでも被害が増幅してしまう。

このようなメディア信仰の強い国民性のためか、企業人でもビル・ゲイツを信奉している人々が目につく。

ビル・ゲイツやジャック・アタリとて支配階級の使用人のような存在にすぎない。支配階級は隠れもせずイベントや映画、テレビ等を通じてロゴマークや登場人物の台詞等を通じて意思表示を行うケースが散見される。ここでは取り上げないが、事例は数多くある。

あるいは堂々とビル・ゲイツなどの人物を使って計画や思惑を公言させ、事前に世の中に意思や計画を示してから実行することを繰り返しているのだ。

それを日本のメディアが報じないだけである。

それゆえに既存メディアを主な情報源としている大多数の日本人は、メディアが報じない限り世の中で起こっている事実を知らないし、知ろうとすらしない。

時々、リテラシーの高い人々が諸事実を述べたり発信しようものならば、メディアが垂れ流す決まり文句の「陰謀論」扱いをしてさらに聞く耳を持たなくなる。

このおめでたいまでのメディア信仰が、この3年間ほどの日本社会に甚大な被害を生じさせたのである。

ビル・ゲイツやジャック・アタリらが公言したように、ワクチンとはもはや予防接種ではなく人口削減のための手段ではないか。

メディアを信じて疑わない大多数の日本人は、連日連夜メディアを通じて垂れ流しされるコロナワクチン接種の推奨を真に受けて接種会場に向かった。

知人が倒れようとも、接種した直後に倒れる人が出ようとも、救急車が連日連夜駆け巡り、救急車だけでは間に合わないために消防車までが代用されている状態でも、疑わずコロナワクチンの接種を重ねた。

まさに思考停止である。

このような思考回路に、これまでの時代なら優秀なエリートとされてきた人々が見事に嵌《はま》った。

かつての受験エリート、それなりの組織や企業などで肩書きのある方々のほとんどが疑うことなくコロナワクチン接種に走り怯えるようにマスクを着用した。日本国内法では任意であるはずのマスク着用やコロナワクチン接種を事実上の強制の空気の中で同調圧力や予定調和の中で重ねていった。

時折、勇気を振り絞ってマスク着用を拒んだりコロナワクチン接種をしない社員や部下に対して、「お願い」という姿を装いつつ事実上、強制の形で追い詰め居場所のない状態に追い込んでいった。

これまでの人生での成功体験が仇となって、疑うことを知らないのである。

与えられた指示、与えられた情報やカリキュラムをそつなくこなしてきたことで受験に成功し、一流企業に就職してそのあとも出世を重ねてきたことで組織人と化してきたエリートたちは、一連のコロナ禍で見事にメディアや政府に誘導されるがままに被害を重ねていった。

時折、コロナワクチンの危険性を唱える高校生や大学生がいたが、彼ら彼女らのほうが一流企業の幹部や管理職、研究職よりも現実がよく見えている。

そのような思考停止状態かつメディア情報を信じて疑わないままに人生を重ねてきた人々は当然のごとくビル・ゲイツを疑うこともしない。

過日、ある企業の部長職と会話をしていた中でビル・ゲイツの話になった。

世の中諸々の話題になって、私が「ビル・ゲイツがワクチンを使って人口削減を実行してること」を述べると、穏やかだった部長職の方の表情が次第に不機嫌そうに変わっていった。

やがて「IT業界に多大な貢献をしてきたビル・ゲイツが、あのビル・ゲイツがそのようなことをするはずがない」と反論をしてきた。

私は様々な事例を示しながら、推進される人口削減計画や、現実にビル・ゲイツが国際イベント等でワクチンを使って人口削減を行うと公言してきた諸事実を話したのだが、部長職の方はますます態度を硬化させて反論し、ビル・ゲイツは慈善事業もしている素晴らしい方であり、そのようなことを行うはずがないと言い返してきた。

財団を作って慈善事業も行うが同時に人口削減計画も推進してきたという事実を述べても聞く耳を持たない。

やがては険悪な空気になり、もしもそのようなことを本当にビル・ゲイツが述べているのならばビル・ゲイツは悪魔だということになる、それは有り得ないと抵抗してきた。

それでも私は諸事実を述べて悪魔のようなことをしているのだと説明したが話は平行線を辿り、やがて部長職の方は険悪な空気のまま席を立った。

これまでに成功してきた体験を持つ方々の中には、このような認識や思考回路の方々が少なくない。

知識が多いことと知性が高いこととは全く別の要素だと、一連のコロナ禍の時間の中で体感した。

このような状況では、地球を裏側から支配し各国政府やあらゆる組織や企業をネットワーク化した世界では、日本人は支配階級の成すがままに操られ、まるで牧場の家畜のように扱われてしまうだろう。

まさに人間牧場である。

統制管理社会にさせないために

なよ竹の　風にまかする身ながらも
たわまぬ節は　ありとこそ聞け

これは幕末の戊辰戦争で会津若松城下に薩摩長州の官軍が突入し、会津藩家老の妻子ら21名が自刃して果てた際に会津藩家老・西郷頼母の妻が詠んだ辞世の句である。たわまぬ節があると知ってほしいという遺言を残して西郷頼母の妻は足手まといになるよりはと一死を選んだ。

か弱い身ではあるがブレない揺るがないという気概を辞世の句として詠んだものである。

気骨、気概は見事である。

昔の日本人は「敵ながらあっぱれ」と見事な生き方を讃えた。

果たして今の日本の世に、特に政治家や官僚に「たわまぬ節」はあるのだろうか？

物事の本質を直視せず現実から目を逸らし、特に政治家や官僚の中には「どこかの国のために動いているのか」と疑う輩が目に付く。

知事や多くの国会議員にその傾向が強い。

一連のコロナ禍でも本質に立脚して動くのは女性陣ばかりで男性陣の石頭や軟弱ぶりが目に付いた。

日本の男性陣が萎えている。

かつての日本はサムライが守っていたからこそ外国勢力が安易に日本を侵略できなかった。

サムライを怖れていたからだ。

しかし今の日本の世に、果たしてサムライがどれだけ存在するのか。

サムライとは刀を持ってちょんまげをしている男性という意味として述べているのではない。

サムライ精神、サムライとしてのスピリット、サムライとしてのマインドという意味である。

今の日本人にサムライがほとんど見られなくなっていることが懸念される。

今の多数の日本人は、

・ヒラメ

・ナメクジ

・風見鶏

これら3種類のいずれかである。

サムライは皆無ではないが、稀少な存在になっている。

個々に目の前の仕事は勤勉にこなすのだがマニュアルがなければ対応しない、対応できない、上目遣いのヒラメや社会的に言動しないナメクジ、周囲から浮いてしまうことに怯えたり他人から批判されたくないからと様子見をする風見鶏が多くなった。

支配階級のダークサイドはあらゆる手段を講じて日本を戦争に巻き込もうとしているが、これに乗ってはならない。

それと同時に、物事の本質に立脚して社会的な言動をするサムライスピリットを今の世の日本人は取り戻さなくてはならない。

今の日本人は社会的に言動しないし、立ち上がらない。

これが国難である。

ヒラメ、ナメクジ、風見鶏しか見当たらない日本人の中から少しずつサムライが蘇ることを切に願っている。

尊厳が踏み躙られた時には怒りを発露することが尊厳を守る唯一の方法である。

沈黙することは奴隷の証である。

戦争へ誘導しようとする緊迫した空気が流れている。

思考停止の状態になっていることに加えて、社会的に言動しなくなって声を上げなくなった日本の姿を支配階級は虎視眈々と見ていた。

多くの専門家や大手製薬企業の副社長や社員が職を投げ打ってまで警告したコロナワクチンの危険性や「接種してはならない」とまで明言する内部告発に全く耳を傾けずに疑いもなく2回目、3回目の接種へと並ぶ人々の群れ。これを見て、支配階級は時まさに今とばかりに、接種推奨を中止していた子宮頸がんワクチンの接種推奨を2022年に再開した。

さらに支配階級は一気呵成に今この時とばかりに攻勢をかけている。

テレビを世の中だと認識している大多数の日本人は、ワイドショーやテレビ報道が止めば、あたかもそのことが存在しないかのように忘れ去っていく。

テレビ報道が取り上げる次の話題にきれいに染まってしまい、これまでの問題や物事があたかも消滅したかのような認識になる。

まさに2週間単位でしか物事や世の中を継続認識できない思考回路に作り変えられてしまったかのようだ。

加えて多くの日本人が読書をしなくなった。

さらにはきちんとした文章を書かなくなった。

今どきの若い会社員はラインなどのSNSで上司に報告をする際、絵文字や省略した独特の断片的な言葉を使う事例すらある。

活字脳でこそ世の中や物事を連続認識したり、数百年前から今に至る時間空間の時空認識が醸成されるのである。

昔の日本の指導者や為政者が高い知性を持っていたのは、書物により世の中を認識し、活字により意思表示を行う活字脳だったからだ。

ところが今の大多数の日本人はテレビ報道や動画などに頼り、活字離れを起こしてピクチャー脳になっている。そのためにテレビ報道などの映像が流されている間だけは認識しているが、報道内容が変わると脳内の残像が消え去り忘却してしまうのだ。

それゆえに、これまで何度も沈静化した内容が蒸し返されると目先の映像や報道にしか認識が及ばない。まさに2週間単位の思考回路しか持てない人間になっているのだ。

なぜ⁉　再開された子宮頸がんワクチンの推奨

その仕掛けの事例が、危険性や被害が指摘され接種推奨が中止されていたはずの子宮頸がんワクチンの接種推奨の再開である。

人口削減計画に則り、ワクチンと称する液体を人体内に注入することで不妊化や多くの病原菌を植え込みたい支配階級の思惑の一つに新型コロナワクチンや子宮頸がんワクチンは存在する。

２０１１年から子宮頸がんをワクチンで予防する必要性が唱えられ導入されたこのワクチンは、他国ではヒトパピローマウイルスワクチン（ＨＰＶワクチン）と呼称されており、子宮頸がんワクチンと呼称されているのは日本だけである。

当初からこの液体は不妊を促す危険性が指摘されてきた。しかし、全く聞く耳を持たない厚生労働省や旗振り役の政治家らが前のめりになって接種を推奨してきた。

その結果、320万人の少女がこのワクチンを接種して日常生活に支障が生じる被害や障害が残る事例が頻発し、また、流産や死産の増加、さらにはオーストラリアで報告されたようにHPVワクチンを接種した女性のほうが接種していない女性よりも逆に子宮頸がんになった割合が多かったという事例もあり、厚生労働省は接種推奨を一時停止した。

かつて薬害エイズ問題が戦後の薬害事例として世の中を騒がせたが、子宮頸がんワクチンによる被害や犠牲は薬害エイズ問題を上回ると問題視された。

この接種推奨のために導入されたロジックが、「ヒトパピローマウイルスに感染することで発症する子宮頸がんをワクチンで予防しよう」というものであった。

しかしヒトパピローマウイルスは男女それぞれに存在し、また人により種類も数も異なる。

またヒトパピローマウイルス自体は200種類以上も存在する。

男女が性交することでヒトパピローマウイルスに感染して発症するというロジックにされた子宮頸がんであるが、人それぞれに種類も数も異なるためにその組み合わせは限りなく無数に近くなる。

これに対してＨＰＶワクチン、日本だけは子宮頸がんワクチンと呼称したこの液体が想定し得るヒトパピローマウイルスは最大で９種類である。

鍵に例えるならば無数に近い鍵穴がある中で、しかもどの鍵穴に合うかわからない９種類の鍵しか持っていない状態に等しい。

このような状態で鍵穴に適応する鍵が手元にある可能性はどれほどのものだろうか？

鍵と鍵穴とが一致する可能性は限りなくないに等しい。

このような現実からヒトパピローマウイルスに感染することで発症する子宮頸がんをワクチンで予防するのは、論理としても現実としても成り立たないとされてきた。

しかし思考停止で世間が忘却していく中、一連のコロナ禍が始まり大多数の日本人が疑うことなく新型コロナワクチンを２回目、３回目、４回目と接種していく姿を晒した結果、時まさに今とばかりに思考停止になっている日本人に対して子宮頸がんワクチン接種推奨を再開してきた。

加えて、論理崩壊していたはずのヒトパピローマウイルスへの感染をワクチンで予防するという論理をさらに飛躍させ、男女の性交によりヒトパピローマウイルスに感染して子宮頸がんを発症するのは男性側にも原因があると立論され、驚くべきことに2023年春からはなんと男児にまで子宮頸がんワクチンを接種させることも検討され始めたのである。

世の中は新型コロナワクチンの4回目の接種に猛進中のために完全な思考停止であり、その間隙を縫うような形で子宮頸がんワクチンの接種再開どころか男児にまで接種対象を広げられているのである。

2020年春以降、世界170か国以上の政府が一斉に新型コロナウイルスに対して同じ動きを取り、大多数の人々はメディアが報じるがままに感染症に怯えて、安全が保証されていない性急に登場した新型コロナワクチン接種に猛進した結果、完全に思考停止に陥った。

支配階級は人間心理を上手く衝《つ》いてだます

小さな嘘はすぐにバレるが、大きすぎる嘘は逆に信じてしまうという人間の心理を上手く衝いた支配階級の仕掛けは巧みである。

大きすぎる嘘は逆に人々を信じさせるという手法はイギリスがよく使う方法である。

このような思考停止状態の中であれば、通常ならばできないあらゆる政策や方針がいとも簡単に実行できる。

非常事態が生じた時は人々は冷静な判断力を失う。

そして思考停止になる。

稀に事実を伝える個人がいても、逆にそれが嘘やデマだと感じてしまう。

支配階級は世の人々のそのような精神構造や心理状態を徹底的に知り尽くして仕掛

けてくる。

非常事態や緊急事態が生じた際は皆で協力しよう……。

このように言われて疑問や反発を感じる人は限りなく少ないであろう。

それが狙いである。

緊急事態が発生したのだから個人の権利は制限してもよいではないか。

個人の自由や表現の自由、言論の自由も制限して皆で政府に協力するべきではないか。

緊急事態が生じた場合は皆で一致団結して政府や関係機関に協力するべきであり、ましてや政府批判や反対意見は封印されて自然ではないか。

このように誘導されても大多数の人々は反対しないだろう。

まさに支配階級の狙い通り、思惑通りである。

常日頃であれば実行できないことを実現するために、敢えて非常事態や緊急事態を作り出して世の人々を統制する手法のことをショックドクトリンという。

ショックドクトリンの下ではいとも簡単に人々の権利や人権、言論の自由は制限もしくは封印されてしまう。

まさか……。

娯楽番組に興じスポーツ中継に酔いしれている方々はにわかには信じられないだろう。

しかしその「まさか」が近付いているとしたら。

一瞬にして世の中は暗黒社会に転じてしまいかねない。


支配階級が世の人々を自分たちに都合よく支配して管理できる仕組みを作ろうとしているのだ。

その流れが加速度的に早まっている。

世の中を非常事態にする主な手法は戦争とパンデミックである。

戦争とパンデミックが生じたら瞬時に世界は非常事態であり、各国政府を通じて緊急事態を宣言させることができる。

その緊急事態の下で全ての人々を統制し管理する。

その足音がにわかに近付いてきている。

その仕掛けに乗らないためにも私たちはここで踏ん張らなければならない。

先人たちが苦労と努力や多大な犠牲を払って築き上げてきた今の世の中の様々な権利や言論の自由、人権の遵守などが一瞬にして奪われることがあってはならない。失う時はまさに一瞬である。

わずか78年前までの我が国は政府批判も言論の自由も封じられ、戦争反対を唱えただけで投獄されていた現実を今一度思い返さなければならない。

まだ78年しか経過していないともいえる。

政府の方針への批判やワクチンなどの危険性を唱えることすら厳罰の対象にされてしまってからでは遅いのである。

そのような世の中になってからでは何事もできなくされてしまう。

そのようなことがあるわけがない…そのように思っている人々は世の中が変わる時の恐ろしさを知らないのだ。

人々の言動を全て管理統制するべく様々な整備が水面下で行われている気配を強く感じている。

私たちは人間としての尊厳と誇りを失ってはならない。

人間としての尊厳を守るためにあらゆる労力を惜しまず注ぎ立ち上がらなくてはならない。

事実は小説より奇なりである。

人権と言論の自由を失わないために今が踏ん張り時である。

良き日本を未来に継承していくために皆様と共に考え、行動していきたい。

第６章

どう抗うか⁉
パンデミックと戦争で作り出される緊急事態、人々の管理と統制への道筋

政府を超える権力者の存在に人々は気付きだしている

私たちが見ている世の中の風景は、限りなくショーウインドウのような風景だといえる。

学校教育や日々の報道などで私たち日本人は、日本政府が日本の世の中では最高の立場であり、国会は国権の最高機関にして唯一の立法機関であると刷り込まれてきた。

三権分立の下で司法、立法、行政が機能していると認識している。

しかし2020年2月に端を発した一連のコロナウイルス禍やアメリカ大統領選挙、その後の新型コロナワクチンを巡る動きなどを通じて、少なからぬ人々は教科書的に認識してきた世の中の姿とは全く異なる指揮系統や権限の所有者の存在に気付き始めたのではなかろうか。

何かが違う。

日本政府が機能していないのではないか。

世界各国政府が一斉に同じ動きを取り、全世界で同じ光景が繰り広げられていく中で、あたかも世界の各国政府をさらに上の立場から指揮命令している指揮系統があるのではないかと少なからぬ人々が気付いた。


人のタイムラインはそれぞれに異なる。

人それぞれに、気付きのタイミングやきっかけが存在する。

それが遅い早いことを競う必要はなく、メディアや教科書で知らされてきた世の中の風景とは違う現実が存在することに気付いたその時が、それぞれの気付きのきっかけであり、新たな歩みの開始なのだ。


会社勤めの方々から見れば社長がトップに見える。

しかし社長は真のトップではない。

社員の見えない場所で社長に対して指示命令を出している存在がいる。

例えば主要株主、スポンサー、主要銀行などである。

業績が好ましくなければ株主総会で社長解任という展開もある。

時として社長は針の筵《むしろ》である場合もある。

世の中もこれに酷似している。

一般国民から見れば総理大臣や大統領は国のトップであると信じて疑わない。

しかし、国民の知らない場所で総理大臣や大統領に指示命令を出している存在がいる。

この世の中において様々な権限を握り、各国政府よりも遥かに桁違いの資金を持ち、各国政府に指示命令を出している存在がいるのである。

また、各企業もそのような支配層の資本によって作られているために、あらゆる実業面を通じて世の中は動かされている。

真の実力者や支配層はなかなか表に姿を現さない。

各政府や各企業、あらゆる組織や団体を裏から支配して動かしていく。

まるで傀儡子《くぐつし》のように。

決して表には姿を現さず裏から世の中を支配し動かしている真の支配層のことを一足早く世の中に啓発してきた識者は、陰の政府、闇の権力と表現してきた。

日本の政治家の多くはこの存在や仕組みを知らないまま政治家になっていく。

そして時に、そのような事例を語る識者に対して多くの人々は陰謀論、都市伝説扱いをしてきた。

しかし2017年にトランプ大統領がこれまで陰の政府や闇の権力と呼ばれてきた支配層をディープステイトと公言したことをきっかけに、飛躍的に世界の人々へ彼らの存在の周知が進んだ。

現職のアメリカ大統領が公言するのだから嘘ではないのだろう、と気付きのきっかけを得た人々も増えてきた。

各政府や世の中のあらゆる組織や団体に裏側から深く根を張って支配してきたネットワーク。

これをトランプ大統領の言葉を借りてディープステイトと呼称することにする。

支配階級《ディープステイト》が目指す世の中の姿、「完全支配」の様相とは⁉

新型コロナワクチンを2回目、3回目とメディアに煽られるがままに接種した人々が救急車で搬送され息絶えていく。

救命救急士が、心肺停止状態で運び込まれる子供たちが異常に多いことに驚愕し、それをSNSで頻繁に投稿している。

今まではなかった光景である。

日本政府が日本人を薬殺している……。

少なからぬ識者や情報を能動的に取得している人々からそのような声が上がった。

日本政府は日本人のことなど全く顧みていないようだ。

声をからして一握りの識者や人々が発信しても大多数の日本人は聞く耳を持たなかった。

日本政府が日本人を間引くことなど有り得ない……。

大多数の日本人は今でもそのように信じて疑わない。

日本政府より上の存在から、安全性が確認できていない液体を日本人に接種するよう指示が出ている現実になかなか多くの人々は想像が及ばない。

これを洗脳という。

連日垂れ流されるテレビや新聞の情報で世の中を認識することを繰り返せば洗脳されてしまう。

日本だけではなく世界中の各国政府が一斉に、治験が不十分で安全性の確認されていない新型コロナワクチンをそれぞれの国民に接種させていった。

まるで各国政府の上に指揮系統があり、指揮者がタクトを振る中で一斉に世界中の各政府が共同歩調を取ったかのように。

もはや既に世界統一政府が事実上、存在しているのではないかとすら感じられた。

ある共通した意思と目的のために、各国政府を上から動かして同時に共同歩調で動かしている風景が展開された。

今の時代は人々に何をされているのかわからないような形でジェノサイドが行われていく。

ワクチンや様々な手段を使って、見えない形で戦争が行われていく。

まさにステルスウォー、ステルスジェノサイドの時代である。


この地球を裏から支配する支配階級、ディープステイトは各国政府を通じてこの地球をどのような世の中にしようとしているのか。

大きな目的と強い意志が見えてくる。


支配階級は地球の人々を奴隷だと見なし、その奴隷は都合の良い人数だけでよいと見ている。

奴隷の人数が多いといつ何時、反乱を起こすかわからないために支配階級にとって不都合なのである。

支配階級が管理しやすい人数まで地球人の人口を調整し、そこに至るまでに都合の良い者と不都合な者とを選別した上であらゆる手法を駆使して徹底した管理統制のシステムを導入しようとしているのだ。

飼い慣らされた奴隷の中から支配階級の意に反する言動をした者は排除し、忠実に動く者だけを管理しながら都合よく利用していく。

それが支配階級の目指している未来の社会像である。

その目的のために様々な方法が行われ、人々を囲い込むためのあらゆる理由が作られていく。

奴隷である人々の人口を都合よく調整し、不都合な者は排除し都合の良い者だけを選別して徹底管理と監視の下に組み込む社会が実現されたなら私たちには未来はない。

誇りと尊厳を失わないために魂を込めて言動をしていくことが生き残る道を拓く。

少子化推進――弱体化され間引かれていく日本人

先日、カフェで注文をした日替わり弁当に驚いた。

店員に思わず「なぜたったこれだけの内容の弁当にこんなに添加物が入っているの？　添加物まみれだね」と苦言を述べた。

増粘剤、ＰＨ調整剤、甘味料、香料、着色料。

何なのか、この添加物の状況は。

店員には「無添加の弁当を販売してくれない？」と伝えると「責任者に伝えます」とのこと。

思えばコンビニ弁当などもそうなのだが、大量に食品添加物を混入しても無添加の弁当と消費期限に大差がないという現実がある。

それにもかかわらずなぜ、大量に食品添加物が使用されるのだろうか。食品添加物ももはや利権なのだろうか。

食材を戦前の内容に戻すことで、男女の不妊化はかなり改善されるだろう。人口減少社会がいかにも良いことであるかのようなロジックは意図的な誘導である。


人口が減れば社会の活力が失われることは自明の理である。

日本の少子化は１９８０年代前半辺りから故意に政治的に仕掛けられたものなのだ。日本を弱体化させたい支配階級のダークサイドが、中曽根内閣に日本人の人口を減らすように圧力をかけて、中曽根康弘首相がこれに屈した。

以後、日本人が触れるあらゆる日用品や食品には故意に不妊にさせるような成分が混入されるようになった。食品業界や製造業の上層部なら知っている話である。


同時に確立したのが不妊治療産業である。

日本人の男女を故意に不妊にして不妊治療で利益を得るという悪魔的な発想は、支配階級のダークサイド、いわゆるディープステイトの常套手段である。

これに加えて非正規雇用の増加を進め、いくら優秀な仕事をしても給与が上がりにくい状況を作り貧困化を促し、経済的にも日本人を追い詰めていった。

竹下登首相の時には支配階級のダークサイドから日本人の人口を8000万人にまで減らすように命令が出た。

しかし竹下登首相はこれを拒否した。

やがて竹下登首相は失脚していく。

支配階級は国際連合を通じて1992年には堂々と世界中の人口を削減していくことを発表させた。

国連行動計画アジェンダ21である。

日本のメディアはこれを一切報じないため、大多数の日本人はいまだにこれを知らないまま国連は素晴らしい平和の機関だと信じて疑わない。

哀れなまでに従順である。

国連が人口削減を公言しているために、それに従って日本政府や政治家、官僚も表向きは少子化対策を唱えてきたものの現実は、「少子化推進」を行ってきたのである。

支配階級の資本下にある企業の大多数も少子化を推進するために様々な仕掛けを繰り返した。

その結果が今の世の中である。


私が生まれた1973年（昭和48年）は出生した赤ちゃんが約210万人だった。

しかし少子化推進政策が40年程も継続されて、今の日本は年間に生まれてくる赤ちゃんが80万人を割った。

つまり、私が生まれた年度の3分の1程にまで激減させられたのだ。

支配階級は日本人そのものを減らして、同時に移民を次々と日本列島に送り込み日本人そのものを消したいのだ。

事実としてブレジンスキー氏が日本に移民を増やし、日本人との混血を進め、日本人の純血性をなくしたいと発言していたことからも思惑が見えてくる。

支配階級の意向を受け当選させてもらう政治家や、支配階級の資本下にあることで存在できる企業はこれに協力し加担、推進してきた。

新たに生まれてくる赤ちゃんの数が減っていくために日本人の絶対数も自ずと減り続けていく。

これが支配階級の狙いであった。

半分以下に減った若い世代にさらなる少子化を政治的に仕掛けていけば、日本人消滅も現実味を帯びてくる。

その証拠に今、必要のない新型コロナワクチン接種を生後6か月以上5歳未満の全ての小児にまで推奨しているではないか。

残念ながら大多数の日本人はこのような事実を「デマだ」「陰謀論だ」と言い、メディアを鵜呑みにして自虐を重ねていく。

手遅れにならない段階で阻止しなければ日本人の存続に危機が生じる。

先ずやるべきことは、日用品や食材への不妊成分使用を厳禁にすることである。

そしてあらゆる科学的手法を駆使して赤ちゃんが生まれやすい環境を作ることであ

る。

四の五の言っている時間的な余裕はない。

また支配階級は様々なロジックや立論をして男女を対立の関係に導いている。

男女は互いに異なる存在として融合するものである。

対立や上下関係、敵対するものではなく陰陽の関係であり互いに交わり一つに融合するものである。

男女は二人三脚で共に歩むことで世の中が成立する。

従って支配階級が仕掛ける対立関係に誘導されないようにしなければならない。

男女は陰陽である。

月と太陽の関係である。

陰と陽。

命は陰陽からしか生まれない。

皆で総力を結集して40年近く故意に仕掛けられて蝕まれてきた男女の不妊化を解消していこう。

陽はまた昇ると私は信じている。

国民こそ最強の立場である――世の中は変えられる!

私なりに政治の内側と外側とを経験し様々な場面を経験して感じるのは、国民という立場こそが実は最強であるということである。

・企業に対しては消費者として、
・メディアに対しては視聴者として、
・政治家に対しては有権者として、
・行政に対しては議会や政治家に働きかけて有権者として、

相手がおかしなことや逸脱した行為をした時はそのような立ち位置で意思表示をすれば効果がある。

メディアに最も影響力があるのはスポンサー企業であるが、そのスポンサー企業に対して視聴者や消費者として正論をぶつければメディアも影響を受ける。


これを総じて国民主権という。


日本人はまだまだ国民主権という自覚が薄いためになすがまま、なされるがままの状態である。

例えば年金支給開始年齢を引き上げるとしたらフランスは国民が大挙して反対の動きを取ってマクロン政権を揺さぶっている。

しかし日本人は年金支給開始年齢を引き上げるとされても年金支給額が減らされても静かである。

うなだれるだけ。

この違いは如実である。

一昔前までは日本人も悪政や苛斂誅求《かれんちゅうきゅう》（重税を課すなど）に対しては能動的に動いていた。

一揆や打ち壊しのような暴動が良いとはいわないが、それでも国民が社会的な怒りを発露していた。

これに対して今の日本人は何をされても沈黙している。声自体を上げなくなったかのようだ。


国民の立場こそ最強なのだという事実を忘れないようにしたい。


私は市民運動という形は取らない。

私は活動家ではない。

運動というのは手段であり目的ではないからである。

時として運動家の中には運動が目的化している事例を散見しては違和感を抱いてきた。

従って私は運動という形は取らない。

私は作用、触媒という形が好ましいと思っている。

必要な時に必要なだけ人々が繋がるような緩やかなネットワークで陣形をいかようにも作り替えるスタイルが理想である。

良い考え方や良い情報を人々で共有していけば触媒作用が生じて集合意識が変わっていく。集合意識の変化が一定の割合になれば認識が変わるために世の中は変わっていく。

民間、国民　＞　行政

議会　＞　行政

国民、有権者　＞　議会、政治家

スポンサー　＞　メディア

消費者　＞　スポンサー、企業

このような力関係を国民として能動的に活かせば世の中は大きく変わる。
まだ大多数の国民が気付いていないだけである。
国民は決して無力ではない。
国民にそれを気付かれては困る支配階級が国民にそのように思わせたいだけである。
国民が能動的に言動するだけで大きく世の中は変わる。特に難しいことではない。
日常を暮らしながら社会的に言動すればよいだけなのだ。

そこに国民が気付くのが先か支配階級が国民を封じ込めていくのが先なのか、今は
そのような時間軸の中にある。
支配階級は人々をまるで家畜のように捉えて、自分たちの都合の良い人間だけにし、
徹底管理の下に置こうとしている。
その目的に向けて、水面下で政党や政治家を動かして法案整備を進めていることが
懸念、指摘されている。
それが緊急事態条項である。

第7章

成立させてはならない——
緊急事態条項は国民の自由を封じ込める
最後の仕上げ！

これまで日本は秘密結社による日本侵攻を巧みに逃れてきた

古来より様々な勢力を通じて日本列島を支配しようと虎視眈々と狙ってきた支配階級であるが、時の日本の為政者を通じて日本の真のエスタブリッシュメントはこれを凌いできた。

大きな潮流として主に欧州に根差す欧州支配階級からフロント機関としてアメリカ支配階級が生まれ、古来より連綿と続く日本を支配下に置くべく様々な謀略が試みられてきた。

これまで何度も日本侵攻を企む動きを、日本は時の為政者を通じて防いできた。

支配階級は秘密結社を作る。

私たちのような一般国民の感覚では、全てを超越した指揮系統として秘密結社が存在し、全地球を完全に網羅し把握して動かしてきたという歴史はなかなか実感できない。

この超越した支配力や把握能力はどこから生じるのだろうか。

とにかく超越しているのである。

一般的に人の構成する組織は当然の如くほころびやバラつきが生じるが、秘密結社は一糸も乱れず全てを網羅し、計画が数百年、時には数千年も継続している。

まるで存在そのものが違うとしか認識できないほどに一般国民とは時間軸が異なる。

日本が西洋の欧州支配階級の侵攻を初めて受けたのは、イエズス会を通じて戦国期にフランシスコ・ザビエルが来日したところからではないだろうか。

キリスト教宣教師による布教という名目は、一見すれば平和的な動きに見える。

まず布教活動により信者ができ、やがて布教の拠点である教会が各地にできていく。

それに伴い宗教建築や聖歌、讃美歌などの宗教音楽などの文化が入ってくる。

やがて人々は違和感を抱かなくなり、慣れてくる頃に治安維持を目的に軍隊が入ってくる。

表向きはもっともらしい建前を設けて、気が付けば対象国や地域を占領していくという手法を支配階級はよく使う。

一般の信者は純粋なのだが上層部は対象国への戦略を秘めている。

これを豊臣秀吉は見抜き伴天連《バテレン》追放を行った。

徳川幕府も同じである。

中には秘密結社を通じた布教活動に応じる戦国大名も出てきたり、長崎は懐深くにまで潜り込まれたことを受けて徳川幕府は鎖国政策を断行した。日本列島への侵略を防ぐためである。

徳川泰平の265年間は人々にとっては外界から閉ざされた時代だったが、西洋の支配階級による侵攻から日本を護るために取った策であった。

やがて産業革命で蒸気船を開発した西洋支配階級は、太平洋の波濤《はとう》を乗り越えて幕末の1853年に黒船で日本への侵攻を再び試みた。

これ以降も日本は西洋支配階級と巧みに交わりながらも巧みにかわし、陥落することはなかった。

ついに1945年に日本が大東亜戦争に降伏した際には、支配階級はGHQを通じて日本支配に乗り出した。

しかし当時の日本の為政者は言いなりになりつつも完全には従わず日本は保たれてきた。

内面から崩壊する日本社会

そして今。

これまで難攻不落だった日本の完全占領を狙って支配階級は時まさに今とばかりに一気呵成《いっきかせい》に日本支配に乗り出した。

2020年2月より仕掛けられた一連のコロナ禍に際してからの3年間、日本人の良さも弱点も総てが炙り出される時間が流れている。

日本人は権威に従順である。

日本人は政府を疑わない。

日本人は同調圧力がかかりやすく自縄自縛に自らを追い詰めていく。

何かを開始すれば問題点が露見しても誰も止めようとはしない。

いつしかモノが言えない空気が満ちて日本人はその空気に従う。

自主的に忖度して行動規制をして予定調和に合わせていく。

この日本人の行動特性を支配階級はジッと見ていた。

そして思考停止に陥り、権威に弱く、お上に逆らわない特性の日本人を今なら支配できると目論んだ。

お上に従順な日本人を支配するには、日本人が信じて疑わない政府やメディアを支配して、それらを通じて支配階級の思惑を実行すれば良いと気付いた。

支配階級は日本人の気質や行動特性を知り尽くしている。

そしてトドメを刺すべく動き出した。

それはフルメニューともいえる。

支配階級が資本主のメディアからは決して本質や真実を流さず、日本人には新型コロナワクチンの必要性を唱え続け、ウイルスによる危機を煽り、マイナンバーカードの必要性や便利さを煽った。

支配階級の想定以上の1億人の日本人が疑うことなくワクチン接種に走った。そのような流れの中で家畜を管理するかのように、日本人を選別する動きを加速させていく。

支配階級に従順な日本人と従わない日本人とを選別できる仕組みは、マイナンバーカードや情報のデジタル管理、ＡＩ等を組み合わせて完成するデジタル通貨、電子書籍、ペーパーレス化の推進、ＡＩ、アバター、あらゆる手法を通じてすべての日本人が把握管理されていく仕組みに組み込まれていく。

そして支配階級からすれば不都合な発信をした者のＳＮＳアカウントを停止するように、国民のあらゆる営みを支える仕組みを担う端末を止める。

これで政府を通じた支配階級の意向に従わない国民はいとも簡単に排除されていく。物理的な環境は着々と整いつつあり、これに加えて非常事態に際して政府に従わない国民を一網打尽にして封じ込める仕組みの画竜点睛の仕上げが緊急事態条項である。

今の日本人は基本的人権や生存権、言論の自由が憲法により保証されているが、政党や政治家を水面下で動かしながら与党自民党の憲法改正案の中に緊急事態条項を織り込み、これを国会で発議させて可決させようという流れが生じている。

緊急事態条項が発動された場合の懸念が指摘されているが、かつてナチスドイツのヒトラーが緊急事態条項によりワイマール憲法を葬り去ったような同じ轍が繰り返されないとも限らない。

日本国民の反発が必至の緊急事態条項案は水面下で静かに整備が進められている。国民にはまだその危機感が乏しい。

平和な世の中が今もずっと続いていると信じて疑わない。

娯楽番組やスポーツ中継に一喜一憂し、職場や様々な場では同調圧力に屈して声を上げげなくなっている。

この状況下において国会で性急な審議であっという間に緊急事態条項案が可決されたならどうなるだろうか。

皆がアッと声を上げたその時はもう遅いのである。

支配階級の常套手段は、戦争とパンデミックで危機を作り統制を強めること！

支配階級は危機を作り出す。

近代以降の主な戦争はことごとく支配階級が秘密結社を使って引き起こしてきた。戦争こそは支配階級にとって巨大な利益になり、同時に世の中をリセットできる方法だからである。

常日頃は国民が抵抗を示し従わない法律や仕組みでも、緊急事態や危機下にあっては従うようになるため、支配階級は故意に危機を作り出すのだ。

その主なものが戦争とパンデミックである。

常日頃はできない政策や仕組みを大きな危機や非常事態を作り出して国民をパニック状態に誘導し思考停止にさせた中で行う方法をショックドクトリンという。

非常事態だから協力しろといわれれば大多数の国民は従う。

個人の権利を制限する、個人の財産を制限する、政府の批判は禁止する、政府に協力しない者は処罰の対象にするとされた場合に平常時においては反対されることも非常事態や緊急事態という名のもとに従わされてしまう。

今まさにその危機が目前に迫っている。


支配階級はかねてより第三次世界大戦を誘導しようとしてきた。あの手この手で武力紛争を引き起こそうとしている。これに加えてパンデミックを仕掛けてしまえば世界中はあっという間に非常事態に陥ってしまう。


日本は極端な方向に走ることがある。

戦時中は皇国史観が是とされ、学問の分野でも神武天皇以前の歴史に触れることは不敬罪だとされ処罰の対象にされた。

日本人として本当の歴史を知りたいと願うことは健全な精神の発露だが、皇国史観の下では処罰された。

1945年の敗戦後はGHQを通じて徹底的に日本人に対する贖罪意識がプログラム化され、皇国史観から逆に自虐史観へと染め上げられていった。

それまで是とされてきた教育や歴史が否定される流れが生じた。

皇国史観から自虐史観へとまるで振り子が触れるように大きく極端から極端へと触れる。

日本社会には時としてそのような特徴がある。


つまり軸がないのだ。

確固とした定観、歴史観、自我、社会認識、日本人としての認識というものがないため、日本社会は国民が主体的に世の中に働きかける動きが乏しい。

同調圧力とムラ社会意識が日本人を支配する。

日本人にとって
「お前は変わった人だな」

「お前だけ皆と違うね」

「あなたは周囲から浮いているよ」

と言われることが何よりも恐怖なのである。

それが自縄自縛になっていき日本人は身動きできなくなる場合がある。

支配階級は日本人の特質を長所も短所も知り尽くしている。

特にこの一連のコロナ禍で日本人の特徴が長所も短所も総て炙り出された。

それを見ていた支配階級は今の日本人は御しやすいと見て日本人を完全支配下に置くべくあらゆる仕掛けを一気呵成に試みてきた。


同調圧力の中では昆虫食ですら是としてしまう。

イタリアでは昆虫食をイタリア料理に使用することを禁止にして人間が食べるものではないとイタリア政府や政治家も意思表示をしている。

これに対して日本企業の多くは商機とばかりにコオロギカレーや昆虫を粉末化した食材などの商品化にいそしみ、ＳＤＧｓというスローガンの下で推奨している。

何と哀れな姿であろうか。

人間としての尊厳、矜持はないのだろうか？

皆が食べるのだからという空気で予定調和として学校給食に昆虫食を導入した都道

府県が現れた。

常軌を逸している。

保護者からは反対の声が多発しているが、当たり前である。

聖書にもイナゴは食しても構わないがコオロギのような昆虫は食に適さない旨が記されている。

いにしえの人々が時に食糧難に見舞われる中でも英知を重ねて踏まえてきた鉄則である。

それを今の日本人は忘れてしまったのだろうか？

このような思考停止、付和雷同する社会の中では支配階級が権力を通じて国民の権利や人権、学問の自由や表現の自由、言論の自由、生存権を制限したり廃したりしながら支配を強化しようとすれば、いとも簡単に実行されてしまうのではないか。

果たして今の日本人は権力が強行手段に打って出て国民への統制を強化し始めた時に立ち上がるだろうか？

人としての尊厳を守るべく社会的に言動するだろうか？

政府に抵抗を示すだろうか？

正直、心もとない。

下手をするとうなだれるだけで従ってしまうのではないかと危惧される。

お上を通じてならば毒でも打ちゴミでも買う。

お上を通じて発せられた内容にはいかなる内容でも日本人は従っていく。

この異常なまでの従順さを逆手に取られて今、日本人は搾取の限りを尽くされ利用され支配下に置かれようとしている。


このような状況の下で非常事態が作られて統制されたならどうなるだろうか？

解放されるのか、より苛烈になるのか⁉
人類史上最大の分岐点で声すら上げない日本人よ！

今は地球の支配権を巡る壮大な権力闘争の佳境に入った段階であり、私たちはそれこそ数千年、数万年に一度あるかないかという大きな転換期に身を置いている。

もはや国の歴史という視野だけではなく、人類史、さらには地球の歴史そのものとしての視野がなければ、現在展開している様々な物事への理解も困難だろう。

この地球を数万年にも及んで支配してきた権力層と、それに取って代わろうとする勢力とによる地球の支配権を巡る戦いの果てに、大きく支配構造が変わろうとしている。

金融、科学、技術、教育、歴史、宗教……これらのあらゆる概念は支配階級が都合よく私たちを支配するために作られたものであった。しかし、大きな権力構造の変化に伴い、これまで封印されてきた事実や真実、様々な技術などが私たち人類に開放されようかという一歩手前まで来ている。

ここから私たち人類は解放されるのか、さらに支配搾取が苛烈になるのかという分岐点であろう。

支配する側からすれば支配対象の民族や国民がいつまでも目覚めず何も知らない状態を保ち、権力に対して従順であればこれほどに都合の良いことはない。

支配階級が最も嫌い怖れることとは、圧倒的多数の人類が事実に気付き、結束をして立ち上がり支配構造に対して反発や抵抗を示すことである。

既に兆候は表れている。

スイスでは多くの国民が支配階級の居住地を十重二十重に取り囲み、これまでいかに人々がだまされ搾取されていたかを糾弾し、名指しで支配階級を追及し始めている。

支配階級はこの光景を最も恐れていた。

これまでは寡頭支配の構造の上に、ごく一握りの支配者が自分たちの存在を国民に知らせず裏から世の中を動かし支配してきたのだが、高度情報時代の到来により、今や多くの人々がメディアが報じない様々な諸事実を瞬く間に把握するようになった。

これにより一昔前なら国家元首クラスでなければ入手できないような情報が、多くの人々にも伝わり共有される時代になった。

人々は知ってしまったのである。

知られることを危惧していた支配階級にとっては恐怖の始まりとなった。

これまで自分たちの行ってきた金融や経済、社会上の諸事実を知られ始めた支配階級は徐々に追い詰められている。

まさに知らないことが犠牲を生む。

知らないことは支配され放題の状態を生む。

知らないことで大切な人をも守れない。

知らないことはもはや罪ですらある。

そして知ってしまえば、知らされていなかったことに対して怒り声を上げ立ち上がるのが人間である。

人としての尊厳を失わないために人は立ち上がる。

同時に支配構造を失いたくない支配階級は、人々が気付き始めると同時に強引な手段で締め付けを強め始めた。

そのような動きに対して欧州では人々が声を上げ立ち上がり始めた。


例えばマイナンバーカードである。

スーパーなどに陳列する商品には全てバーコードが付与されており、製造から流通、保管に到る全てのサイクルが把握されている。

かねてより、これと全く同じ発想で人々を管理把握しようという試みが支配階級により計画されてきた。

聖書のヨハネの黙示録の中でも悪魔の刻印が人々に押されることが既に記されており、また映画や小説などを通じて支配階級は人類に個別番号や刻印を押すことによって管理する体制を予告してきた。

その刻印を受けない者は、あらゆる社会活動ができなくなり、排除される仕組みになると危惧されている。


マイナンバー制度は、日本もそうだが国民の抵抗が強くなかなか進捗しない状態がしばらく続いていた。

しかし支配体制の強化を狙う支配階級は、かねてより計画してきたアジェンダの構想の中に危機や緊急事態を作り出し各政府を通じてそれぞれの国民の管理体制の強化を図るべく、一連のコロナ禍に合わせて新型コロナワクチン接種を行い、またこの流れにマイナンバーカードを結びつけることにより病歴やワクチン接種履歴や接種の有無も個別に把握可能な状態にしようとしている。

この動きに対して主に欧州各国の人々が反対の声を上げて立ち上がった。

多くの国々で各国民が反対の意思表示を行い、マイナンバーカードの計画が頓挫しようとしている。

ドイツではマイナンバーカードの制度について憲法違反の違憲判決が出され、廃案となった。

フランスでは国民の抵抗が激しさを増し、マイナンバーカードを導入しないことになった。

イギリスでは同じく国民の抵抗が強く、マイナンバーカード運用後1年で廃止となった。

オーストラリアも国民の猛反発が生じたためにマイナンバーカードは廃案とされた。

アメリカでも国民が抵抗を示し任意とされた。

これに対して私たちの日本はどうだろうか？

各役所を通じてマイナンバーカードを取得すれば2万円分のポイントをプレゼントするとした途端、多くの日本人が役所の窓口に殺到し、取得に走った。

実に単純ではないか。

欧州など各国の国民と今の日本国民とで一体何が違うのだろうか？

これは国民性の違いなのか。

2万円分のポイントをもらったとして一体何を購入するのだろうか？

そこまでして欲しいもの、手にしたい商品があるのだろうか？

人としての尊厳を守るという発想すら、もはや失っているように見えてしまう。

まさにアメとムチとで今の日本人はいとも簡単に陥落してしまうのではないか。

日本は世界の潮流に反して、まだマイナンバーカードの取得は推奨されている。

一方で、SNS等の様々な媒体を通じてマイナンバーカードの危険性や問題点が発信されている。

しかし既存メディアがSNSで流れる情報はデマだフェイクだと報じればなぜか大多数の日本人はメディアの報道を是としてしまい鵜呑みにしてしまう。

これが今の日本の現実の姿である。

声を上げず意思表示しない日本人

同じマイナンバーカード制度を前にして欧州各国と日本とで明らかに対応や言動が異なる。

この違いは歴史の歩みから来る。

主に欧州では国王や領主と領民とは常に対立関係であり、関係を維持するために契約社会が醸成されてきた。人々は圧政から脱するために多大な犠牲を払って支配者と戦い、自由と権利を勝ち取ってきた歩みが長い。

これに対して日本は領主と領民、為政者と人々とは対立関係ではなく一体であったという歩みであった。

古来より日本では国民が立ち上がって世の体制を変えたり仕組みを作り直したという歴史がない。

これが良くも悪くも一連のコロナ禍に端を発してより強化されようとしている。

中世の世では貴族支配の下、荘園が運営され、人々はそれぞれの荘園を通じて領民として存在した。

やがて源平の争乱を経て平家が政権を握り、源氏がこれに取って代わり幕府が樹立された。

この時に世の中を変えたのは武家である。

やがて鎌倉幕府を倒して、新たな幕府を武家の足利家が樹立した。

足利幕府が瓦解する中で群雄割拠・戦国乱世となり、織田信長が天下布武を唱え戦国の世を豊臣秀吉が統一した。

豊臣秀吉も武士であり、関白とはなったが武家である。

やがて徳川幕府が幕藩体制を構築し盤石の世を築いたが、徳川家も武家である。

そして倒幕の動きが起こり、外国勢と絡みながら、薩摩、長州、土佐、肥前の雄藩を軸として明治政府が樹立された。これも武家によるものである。

1945年に日本が大東亜戦争に敗戦しGHQを通じた戦後改革が断行されたが、これも国民本位ではない。

このように俯瞰すれば日本は古来より2000年以上の歴史を刻んできたが、未だかつて国民が自ら立ち上がって世の中の仕組みを作ったという歴史が皆無なのである。

この2000年来の日本人の歩みが良くも悪くもDNAに記憶として刻まれている。確かに一揆や打ち壊し、反対運動などが随所にあったが、何れも鎮圧されて世の中を作り変えたり、権利をつかみ取ったという歴史にまで至っていない。

古来より君主と民とが一体となって国を作り社会を営んできた日本は、地球規模で支配体制が強化されようとしている現況下では逆手に取られて追い詰められてしまう。

特に江戸時代は士農工商という厳格な階級制度により、封建社会でがんじがらめとなった。

政治を担うのは士農工商の武士の階級だけであり農工商は政治に意見すらいえず、ただひたすらお上に従うだけという時代が265年も続いた。

大名行列などに遭遇すると農工商は低く頭を地面に垂れて、武士階級の顔を直視することすら許されなかった。

前を横切っただけで無礼討ちされる時代が続いた。

その士階級とて事細かく厳格な上下関係があり、人々は総じて身分という立方体の中で身動きができない時代だった。

一連のコロナ禍で炙り出された日本人のメディアにひたすら従う尋常ではない光景は、日本人の記憶に深く刻まれた士農工商の名残がまだまだ根強いことも影響しているのではないかと思えてくる。

もはや何をされても声を上げなくなった日本人である。

お上を疑わない。

権威に従順である。

自縄自縛になっていく。

そして大多数の日本人は建前を前に本音で苦しんでいる。

団結すれば強さを発揮する日本人だが、一連のコロナ禍で炙り出されたように、少しズレると世の中自体が身動きできない状態になってしまう危険性も示された。

このような日本人の特質と長所短所を知悉《ちしつ》した支配階級は、日本人を都合よく動かすためには日本人のお上を支配すれば良いと気付いている。

支配階級からすればお上が何をしても逆らわない日本人の姿は珍奇な姿に見えていることだろう。

年金支給開始年齢を上げるとされた途端に大挙して反対の言動を行いマクロン政権を揺さぶっているフランスの国民性とは対照的である。

日本人はもはや尊厳を守るために立ち上がることを忘れたのか。

このような状況の下で、支配階級は日本人にトドメを刺すべく政治家や官僚を動かしながら着々と水面下で準備を進めている。

権威や権力に従わない国民は罰則を設けたり社会生活自体を営めない仕組みにすれば都合よいと考える。

自由も人権も財産も一瞬で失いかねない世の中にならないと誰が保証できるだろうか？

かつてドイツにナチスが誕生し緊急事態条項の発動の下でワイマール憲法が瞬時に奪われてしまい独裁社会が誕生した。

その再現が日本で起きないと誰が約束できるだろうか？

国民が歴史に学ばなくなり歴史の教訓を忘れた時、過ちは繰り返される。

世の中が一瞬で変わる怖さをもはや我々は忘れてしまったのだろうか？


声を上げなくなった今の日本人。

何をされても社会的な言動をしなくなった今の日本人。

ひたすらメディア報道を鵜呑みにして様々な声には耳を傾けなくなっている。

このような状況の中、水面下で政党や政治家、官僚が動き、国民を統制する法案整備を進めていることが危惧されている。

それが憲法改正案に記された緊急事態条項である。


世が転じてしまう前に一人でも多くの国民がこの重大性を認識し、意識を共有して人としての尊厳や自由、権利、人権を失わないために連携する必要がある。

第8章

TPP、緊急事態条項、次々と陥落させられる日本を超え、「陽はまた昇るために」できること！

国会議員の暴走を止めろ、さもなくば戦争に巻き込まれてしまう！

学校教育では「戦争はなぜ起きるのか」という本質的な理由が教えられない。ただ、どの国がどう動いたかとか、このような事件が起きたという結果のみが教えられる。

これでは多くの生徒は、世の中の動きや真実に気付かない。支配者が世の中のリセットを行いたい時や様々な利権が絡んで戦争が仕掛けられ、何も知らされない各国民が犠牲になっていく。

今や領土獲得のためにどこかの国に攻め入るという目的で戦争を仕掛ける時代ではなく、支配者の思惑で利益を得るためや人々を特定の方向に誘導するために戦争が仕組まれる。

いかに戦争に巻き込まれないようにするかが大切である。

我が国は専守防衛（正当防衛）である。

専守防衛とは、相手から武力攻撃を受けた時に初めて防衛力を行使し、その内容も自衛のための最小限にとどめ保持する防衛力も自衛のための最小限度に限るというものである。

日本国憲法でそのように謳われている。

しかし、懸念される動きが生じている。

岸田文雄首相が「台湾と中国とが戦争になれば自衛隊を投入する」と発言したのである。

これは日本の国是に反することではないのか。

仮に他国で戦争が勃発したとして、日本の自衛隊を投入するということは専守防衛に反し、さらには他国の戦争に加担することになる。

その結果、日本が戦争に巻き込まれ収拾がつかない状態になる危険性がある。

専守防衛（正当防衛）は自然権としてどの国家にも存在しており、憲法に記されているいないにかかわらず、自然権として正当防衛は認められている。

日本は専守防衛に徹することが国是であり海外の戦闘に自衛隊を投入することは大きく日本の国是から逸脱する。

また海外での戦争に加担すれば、他国に宣戦布告をしたに等しい行為となり日本本土が攻撃対象にされてしまう。

これは何としても防がなければならない。

これを防ぐことが国会や政治家の務めであるが、最近は政党政治も機能しているとはいえない。政府を超越した支配階級の命じるがままに請負作業をしているかのような状態であり、戦争に巻き込まれないための正念場を迎えている。


一部の政治家や団体からは自衛隊を軍に改めようという意見も勇ましく掲げられているが、日本国憲法よりも上位に位置する国連憲章の定めを知った上での言動なのであろうか？

国連憲章には「敵国条項」が存在する。

１９４５年に大東亜戦争に降伏した日本だが、78年以上が経過している現在においてもなお、国際連合の定めた国際連合憲章の条文にはいまだに第二次世界大戦中に連合国の敵国であった国、つまり敗戦国に対する措置を規定した条項が存在しているのである。

これを敵国条項という。

これは何を意味するか。

国際連合憲章の中の第53条、第77条、第１０７条において第二次世界大戦中に連合国の敵国であった国に対する措置が規定されている。

日本は当時、連合国と戦ったのであり敵国であったため、国際連合憲章の中において今でも敵国扱いのままなのである。

日本の多くの政治家や学者は憲法改正議論に前のめりになり、日本は「自衛隊を軍にするべきだ」とか「敵基地を先制攻撃することを可能にしよう」等という勇ましい声が一部の者から聞こえてくる。

果たして彼ら彼女らは日本国憲法よりも上位に位置する国際連合憲章の存在を認識した上で議論をしているのだろうか？

また日本の大多数の政治家や官僚、各識者は国際連合をあたかも「世界の平和のための機関」だとか「世界の学校だ」というような認識で議論をしているが、そもそも国際連合という名称そのものの翻訳が間違っている。

我々が国際連合、俗に国連と呼称している機関の正式名称は、The United Nationsである。これを直訳すると連合国となるのだが、どういうわけか日本人はこれを国際連合と翻訳しているのだ。

翻訳を間違えたのか故意なのか、それともそのように思いたいのかどうかわからないが、素直に直訳すれば連合国であり、日本はその連合国と戦ったという歴史を刻んでいる。

かつ国連憲章の中で敵国条項があり、日本は敵国扱いのままである事実を踏まえれば、日本人が認識している国連像と現実は大きく乖離しているといえる。

また日本は国連の運営金を拠出している。

しかし常任理事国ではないために決定権を有していない。

常任理事国の多くは財政難のため、国連運営金を拠出できず、事実上、日本が肩代わりしてきている。

つまり日本は運営資金だけ拠出させられて未だに決定権を与えられていない。

これでは体よく利用されているだけだとはいえまいか。

この事実を踏まえれば、日本は国連の運営を支えてきたことになり、日本人が自負するように戦後の世界平和に貢献したことは間違いない。

しかし日本人が世界平和のための機関だと信じて疑わない国連が、現実は連合国の機関であり、巨額の運営資金を拠出し続けてきた日本はいまだに敵国扱いのままだという現実を大多数の政治家は知らない。

特に与党を中心として上がっている自衛隊を国軍化するべきという案や、海外での戦争行為に加担するべきだという案が実現化されたならどうなるだろうか？

残念ながら、政治家や識者がその視野の下、健全な国益に立脚した議論をしているようには見えない。

国連憲章に謳われている敵国条項は主に以下の内容が記されている。

「第二次世界大戦に連合国の敵国だった国が第二次世界大戦で確定した事項に違反したり侵略政策を再現する行動等を起こした場合、国際連合加盟国や地域安全保障機構は安全保障理事会の許可がなくても当該国に対して軍事制裁を科すことができる」

敵国だった国が戦後の条約や侵略を再開しようとしていると判断された場合は、国連加盟国や地域安全保障機構は常任理事国の許可なく自由にその国を軍事制裁を行うことが認められているのである。

日本の政治家や官僚、識者は従来より憲法9条を巡る議論ばかりを金科玉条のように繰り返してきたが、果たして国連憲章の現実を踏まえてきただろうか。

極めて疑わしい。

どこかの悪意ある勢力が「日本を戦争に巻き込みたい」と欲すれば、また日本国内に何かしらの利害が一致し、日本人が気が付いた時には日本列島が戦場と化し、日本が軍事攻撃されているという修羅場になりかねない。

これを何としても防がなければならない。

我が国の国是は専守防衛である。

これを踏み外して逸脱した視野狭窄の憲法改正議論や、これに付随した緊急事態条項を成立させようという安易な動きは、先人たちが築いてきた日本の歴史資産を破壊し、多くの日本人を塗炭の苦しみに突き落としかねない。

現実を知らない国会議員の安易な暴走を、今こそ日本国民が有権者として阻止しなければならない。

国連憲章上では敵国条項は危険！　日本は攻められる口実を与えてはならない！

現在、国際連合憲章において敵国扱いになっているのは日本、ドイツ、イタリア、ブルガリア、ハンガリー、ルーマニア、フィンランドである。

現在の国連を構成している連合国は戦後、ＧＨＱを通じて日本を再構築してきた。

その国連の常任理事国はイギリス、アメリカ、フランス、ロシア、中国である。

世界を裏側から動かして支配してきたディープステイトは日本と中国とを戦争させようとしている。

あろうことか岸田文雄首相は、「もし台湾有事が生じたならば自衛隊を投入する」と発言している。

極めて危うい状況であり、誘い水のように見えて仕方がない。

日本は絶対に挑発に乗ってはならない。

台湾有事が勃発した際に万が一、日本がどこかの国に請われて自衛隊を出動させたとする。

その行為がもし国際連合憲章に定めている敵国条項の中の「第二次世界大戦で確定した事項の違反」や「侵略政策を再現する行為」と見なされたならどうなるのか。待ってましたとばかりに理屈を構築されて気が付けば日本が国連加盟国から攻撃をされているという修羅場になりかねない。

権力者の様々な思惑が戦争を生じさせてしまうのだが、いつの時代も犠牲になるのは一般国民である。

さらに権力者同士は敵対関係に見せながら、水面下では繋がっているという事例も過去によくある。

歴史上において日本を虎視眈々と狙っている動きが何度もあったが、その邪悪な思惑に巻き込まれてしまえば日本列島が阿鼻叫喚の地獄と化してしまう。

かねてより日本への侵略攻撃を国際社会で公言している過激な一派が中国の人民解

放軍には存在している。

公然と日本に対して超限戦を仕掛けるとまで述べているのである。

穏健な考えの派もあるが強硬な考えの派もあり、過激な考えの一派があらゆる権力構造の中で主導権を握ったならば不測の事態も生じかねない。

加えて中国は国連の常任理事国でもある。

台湾有事の際の自衛隊の加担行為や尖閣諸島を巡る対応などで、堂々と日本への軍事攻撃がなされた場合、その理由が悪意をもって解釈されて「日本が再び侵略行為を再現しようとしている」と曲解されたとしても、国際連合憲章上の敵国条項の適用だとされた場合は下手をすれば相手側が正当化されてしまいかねないのである。


加えて現在、ウクライナ情勢を巡りメディアでは現実とは異なる情報が垂れ流され、これを鵜呑みにしている大多数の日本人や日本政府がウクライナ支援という名の下に資金提供を行ってきた。しかしこれが現実にはウクライナ領内に巣食うナチス勢力を支援している結果となっており、ロシアに対する利敵行為に等しい状況になっている。プーチン大統領はかねてより日本に理解を示し親日であることで知られている。しかし、一歩間違えればロシアへの宣戦布告に等しい行為をしている日本政府に対して、ロシアがいつ何時、国連憲章の敵国条項を適用して日本への軍事攻撃に踏み切らないとは限らない。

果たしてそのような現実的な視野が日本政府や日本の政治家に備わっているのだろうか？

現実認識が全くできていないようにしか見えない。

ウクライナ問題を巡りロシア制裁が行われているが、この地球上では圧倒的にロシアへの制裁に加担していない国々のほうが多く、世界が見えていない日本政府はなぜかＮＡＴＯに請われるがままにロシア制裁に加担している。

現在はロシア大使の賢明な判断で日本への敵対行為を踏み留まっているが、油断はできない状況である。

国際連合憲章上の条文がそのまま残っているだけで、事実上は形骸化しているので心配ないという意見もある。

しかし国際連合憲章の条文がそのまま残っているという現実はいつそれが条文通り

に解釈・適用されかねないという危うさも孕んでいる。

物事は何事も善意で行えばうまく運ぶが、根底に悪意や邪悪な思惑が入ると悪用されたり恣意的に運用されてしまう。

そのリスクを除去するためには日本政府や政治家は総力を挙げて国連憲章における敵国条項を削除するのに尽力することこそが未来に向けて大切なことではなかろうか。「先制攻撃を認めるべきだ」というような発想よりもエネルギーを注ぐべきは、国連憲章の中の敵国条項を廃止もしくは削除することである。


ところで、国連憲章における敵国条項を削除することはできるのだろうか？

過去において１９９５年の第50回国連総会において国連憲章特別委員会における敵国条項の改正削除が提案され、賛成１５５か国、反対０、棄権３か国により可決されている。

しかし可決されただけであり、現実にはまだ国連憲章の敵国条項はそのまま残っている。

現実の手続きとして敵国以外の国々がそれぞれの国内で諸手続きを進め、各国の国会で承認を得て国連加盟国の3分の2の賛成を得る必要がある。

しかし現実的な課題として、敵国条項の削除は国連加盟国にとっては優先度は低く、手続きに向けた動きがないというのが現実のようである。

つまり国連憲章の敵国条項の削除は国連の委員会で可決はされているものの、現実には削除に向けた手続きは何一つ進んでいないのである。

したがって、日本人が世界の平和の機関だと信じて疑わない国連の国際連合憲章において、日本はまだ敵国扱いのまま残っているのである。

これは危うい現象である。

いつ何時、条文がそのまま適用されかねない物理的環境が続いているのである。

日本を軍事攻撃の対象に巻き込みたい悪意のある勢力がこれを悪用しないという保証はないのである。

日本は何をするべきか、考えなければならない。

自由と権利、人権が封じられる恐れ

この状況下で支配階級はあらゆる物事を総動員して国民を管理統制するための整備を進めている。

マイナンバーカードやコロナワクチン接種に加えて、デジタル通貨や人とＩＴを接続してＡＩで管理させようとするスマートシティ構想、食糧危機を作り出し昆虫食を推奨している一連の動きは全て、人類を管理統制していくためのものである。

そこに加えて管理統制している人類を選別し、政府の指示に従わない者や不都合な言論を行う者を処罰の対象にできる環境整備が進められている。

それが現在、日本政府が進めようとしている緊急事態条項である。

緊急事態条項は憲法改正案と絡めて進められてもいる。

この緊急事態条項は数年前から懸念されてきており、一旦は下火になったかのように見えた緊急事態条項の整備であるが、ここに来て成立に向けて動きが進んでいる。

この緊急事態条項の懸念点について以下に述べてみる。

①国会の事前承認が必要なくなる
②基本的人権が制限される
③法律と同じ効果を持つ政令の制定が可能になる
④総理大臣が予算措置を行えるようになる
⑤緊急事態の期限がない
⑥内閣の意思で衆議院の任期を延長できる
⑦地方自治がなくなる
⑧行政が強化されることで三権分立が崩壊する
⑨集会、結社、言論、報道の自由が制限される
⑩非常事態が宣言されたら国民は政府への協力が優先され反対意見や言論が封じられる恐れがある

端的にいえば、支配階級は地球人口を都合の良い数に間引きながら、戦争やパンデミックを仕掛け、同時にマッチポンプの仕組みにより巨大な利益を得、かつ人類を管理・監視しやすい仕組みへと誘導しようとしているのだ。

その仕組みに輪をかけて、方針に従わない人々を排除するための仕上げの段階に入りつつあるように見受けられる。

この世の中ひいては地球は、私たちが認識させられてきた人々とは違う血族や一族、支配者のネットワークにより動かされているといえる。

それを私は支配階級と呼称しているのだが、その支配階級がどんな存在なのか端的に一言では言い表せない。

しかし各国政府や大統領や首相がトップではなく、現実には大統領や首相、各国政府を末端として使いながら世の中を背後から動かしてきた存在があるということは事実であり、私たちはそれを知らなければ世の中の動きを理解するのは困難である。

現代の世の中の政治、経済、軍事、情報、医療、学問、宗教、芸術、娯楽、スポーツなど諸々の営みが、邪悪な意思で営まれてきたネットワークにより動かされてきたのだ。

前述したように、その中核を担ってきたのが秘密結社である。

私たちのような一般の人間も組織を構成することがあるが、時として綻びが生じ足並みが乱れることがある。

しかし、秘密結社は全地球上を俯瞰的に網羅し、完璧なまでに一糸乱れぬ統制の下、数百年以上という長期的な視野で計画を立てて実行していく。

私たちが認識している世の中を応接間や客間に例えるならば、世の中には奥の間や開かずの間、奥の院に相当する世界が存在する。

その奥の間には血族といわれる存在が位置して様々な機関や組織、団体を通じてあらゆる分野が動かされている。

その血族とは主に次の13血族である。

①アスター家

②バンディ家
③コリンズ家
④デュポン家
⑤フリーマン家
⑥ケネディ家
⑦李家
⑧オナシス家
⑨ロックフェラー家
⑩ロスチャイルド家
⑪ラッセル家
⑫ファン・ダイン家
⑬ダビデ家

この13血族が地球の実働部隊として、３００人委員会、ＭＩ６、ＣＩＡ、ＦＢＩ、ＮＳＡ、モサド、テンプル騎士団、薔薇十字会、サンヘドリン、スカル＆ボーンズ、円卓会議、CFR、日米欧三極委員会、王立国際問題研究所、IMF、世界銀行、ローマクラブなどを機能させてきた。

表向きは学術会議や親睦団体などを装っているが、現実はそこで様々な意思決定が行われ末端機関にすぎない各国政府に降ろされてきた。

このような秘密結社には欧米の大物政治家、財界人、貴族、学者、軍人、芸術家などが名を連ねている。

例えばアメリカ初代大統領のジョージ・ワシントン、トマス・ジェファーソン大統領、ウッドロー・ウィルソン大統領、フランクリン・ルーズベルト大統領、ハリー・トルーマン大統領、ベンジャミン・フランクリン、ヘンリー・キッシンジャー、ヘンリー・フォード、英国首相のウイストン・チャーチル、英国王エドワード8世、ドイツ初代皇帝ヴィルヘルム1世などがそのメンバーだったとして知られている。

世の中は我々が想像している風景とは違う現実で動いてきたといえる。

支配階級が様々な実働部隊を使いながらイデオロギーや思想、運動を後ろから動かし、近代以降の歴史をほとんど作ってきた。

・フランス革命
・アメリカ独立戦争
・第一次世界大戦
・ロシア革命
・国際連盟の創設
・日中戦争
・大東亜戦争
・第二次世界大戦
・国際連合の創設
・イスラエルの建国
・朝鮮戦争
・ベトナム戦争
・湾岸戦争
・イラク戦争
・ウクライナ紛争

これは全て支配階級の傘下の秘密結社が工作して発生させてきたのである。

当然ながら支配階級の資本下であるメディアは、このような実態を決して報じることはない。

なぜなら自分たちにとって不都合な内容だからだ。

このような現実を現実として認識する視野を持たない限り、日本人や世界の人々に平和は訪れないばかりか、何をされているのかにすら気付かないまま翻弄され続けることになる。

先ずは知ることが大切であり、現実を知った上で物事を判断していくということが歴史の岐路に立つ際に運命を分かつ。

最低4年は日本人に知らせてはならない「TPP法案」の中身とは⁉

大手新聞の記事は鵜呑みにしないようにしたい。

今の日本人にはいかなる嘘も理屈もまかり通るので正念場である。

大型連休前になると「憲法に関する国民の意識」と称して賛成や反対の世論調査と称する内容が必ずといっていいほどに記事にされていく。

今回も大手新聞で「憲法改正に賛成派が反対派を上回っている」という記事が一面トップに掲載されていた。しかし何について改正することに賛成なのか、何については反対なのかという具体的な内容の記事がない。漠然と様々な内容が記述されているのだ。

今、懸念されることは、憲法改正に賛成が過半数という印象を植え付けて、緊急事態条項と併せて発議する流れがあることである。

与党と野党が緊急事態の際に衆議院議員の任期を延長することに合意をしたとして、反対しにくい点だけを強調して実現に向ける方法は、支配階級が押し切ったＴＰＰの時と酷似している。

ＴＰＰを巡る議論の際も、

・海外のワインが安く輸入できるようになる
・アジア太平洋で人やモノが活発に行き交うようになる
などというスローガンだけを連呼し、黒塗り資料しか渡されない国会議員がそのまま賛成起立をして批准してしまったのである。

関係国が難渋を示し一度は頓挫したＴＰＰを、日本が自ら率先して拾い上げて２０１７年に国会で可決、批准した時から、日本は主権を失ったに等しい状態となり、以降国会は有名無実と化してしまった。

ＴＰＰの内容を閲覧できるのは多国籍企業の顧問８００名ほどのみである。

このような実態から現実の力関係がわかる。


何かの重要な契約に際して、書面のほとんどが黒塗りされていて何が約束されているのかわからない、何が義務化されるのか知らされない状態で署名して実印を押すことができるだろうか？

普通の感覚なら絶対にしないはずである。

しかしそれに等しいことを日本の国会が断行したのだ。

何が約束されたのか知らされないままに国会で起立賛成多数として可決してしまったのである。

しかもＴＰＰは、締結後少なくとも４年間は締結内容を日本国民には知らせてはならないとされている。

なぜ、最低４年間は知らせてはならないのか。

このようなことがまかり通る今の日本はいかがなものか。

今もってなお、日本国民はＴＰＰの締結内容を知らされていないのである。

近年、首を傾げるような違和感を抱く法律が次々と成立していくのはＴＰＰによるものだろう。

支配階級の資本による多国籍企業が加盟国の政府を支配するため、全知全能を注いで仕上げたルールがＴＰＰなのだから。

水道事業の民営化も種苗法の改正も然りである。

なぜ、自分たちの国の水まで多国籍企業に委ねなければならないのだろうか。

種苗法については、今後、自分たちで栽培した作物や植物から採れた種を自分の菜園や農地に植えたら処罰される方向になろうとしている。農家は今後毎年、多国籍企業から種子を購入し続けなければならない仕組みにされつつあるのだ。

しかも遺伝子組み換えが行われ種ができない種に作り変えられたF1種子（Final 1 Hybrid）を農家は購入し続ける仕組みにされようとしている。

なぜこのような事態になるのか。

あらゆる日本国内法や日本国憲法よりもTPPのほうが上位に位置するためである。締結後最低4年間は締結内容を日本国民に知らせてはならないというTPPは、今後間違いなく日本人を苦しめていく。

トランプ大統領はアメリカ国民をTPPから守るため、TPPからアメリカを脱退させた。

トランプ大統領は支配階級のディープステイトと対峙した大統領である。

このためによるディープステイトの傘下であるメディアにトランプ大統領は徹底的に叩かれ続けた。

お茶の間でメディアの報じる内容をひたすら鵜呑みにする多数の日本人はこれを真

に受けた。従って今現在もまだほとんどの日本人はトランプ大統領について否定的な印象を抱いたままである。

メディアに支配された泰平の眠りの中にある大多数の日本人は、現実で真反対の光景が繰り広げられているのをまだ知らない。

日本人は歴史の教訓を忘れたのだろうか。

歴史に学ぶことを忘れた民族は衰退していく。

幕末に黒船来航と共に開国を迫られた徳川幕府は日米和親条約、日英和親条約、日露和親条約などのいわゆる不平等条約を次々と締結させられた。

これにより幕末明治時代の日本人は塗炭の苦しみを味わうことになった。

・関税自主権が与えられていない
・外国人の治外法権を認めさせられた

主にこの2点で当時の日本人は苦しんだのである。

今の日本人は歴史を学ばないことに加え、歴史から学ばないために同じ轍を踏んだ。

同じ轍どころか幕末当時の不平等条約の比ではないルールの下に置かれ、日本人は合法的に苦しめられている。

法を手段として都合よく日本を利用する支配階級に対して、日本社会はよほどの努力をしなければこの金縛りから脱却することは難しい。

幕末に締結させられた不平等条約は当時、いくら改正を試みても西洋社会に相手にされなかった。

日清戦争、日露戦争を経て日本が勝利したことでようやく欧米の支配階級が日本の存在を認め、不平等条約改正に応じるようになったのである。

一旦このような条約を締結すれば、そこから脱却するためには多大な労力や、時に犠牲を伴うことは歴史が示しているではないか。

歴史の教訓を忘れ、メディア情報にうつつを抜かし、その場凌ぎの口約束で選挙公約も足蹴にして保身と打算で国会議決を行った日本の国会議員の行為は歴史に汚名を刻んだといっても過言ではない。

歴史を忘れた民族は衰退あるのみである。

選挙結果ははじめから決められている――不正操作の実態！

もっともらしい理由や印象付けだけで国会で緊急事態条項を併せた憲法改正発議が行われたら国民投票になるのだが、今や投票結果ははじめからコンピューターで設定されている場合が多いため、国民投票も結果を操作されるリスクが高い。

まさか、と思う方々はメディア情報を鵜呑みにして信じて疑わない善良さが逆手に取られているのだ。

ＳＥ（システムエンジニア）やＩＴ技術者が近年、随所で選挙の不正が選挙区とは遠く離れた地域のサーバーを通じて行われてきた実態を告発している。

さらには鹿児島県阿久根市の副市長だった仙波敏郎氏は元警察官でもあるのだが、氏は「鹿児島県阿久根市では全ての選挙において期日前投票は投票箱を開けて票の操作が行われてきた」と公言したのである。

つまり期日前投票は投票結果が操作されているという意味である。

日本全国に地方自治体は1765以上存在するが、仕組みや構造は金太郎飴に等しい状態である。そのことから鹿児島県阿久根市の元副市長の期日前投票についての不正操作の公言は他の自治体でも同じような事例が存在する可能性を示唆している。

今の時代は不正選挙、選挙結果の操作が横行しているために逆に国民投票ができない時代になった。

考えてみよう。

かつて国政選挙の開票は深夜になっても当選確実がでず、もつれにもつれていた選挙区が随所にあったではないか。23時過ぎて開票率が85％になっても開票結果が拮抗して当落が判断できない光景が普通だった。これが本来の選挙の光景である。

今はどうだろうか。

投票が20時に締め切られた瞬間から、各テレビ局で開票速報が報道される。

まだ投票所から投票箱が運び出されてもいない段階で次々と当選確実が報じられ、当選者にはバラのマークが表示される。選挙事務所では当確が出された候補者が万歳を繰り返す光景が報道されていく。

開票率０％とはまだ開票していないという意味であるが、それなのに今やメディアは堂々と開票率０％で次々と当選確実の報道を行っている。

なぜ、開票すらされていない段階で当落が判断できるのか。

これを指摘すると大多数の日本人は必ず「出口調査があるからでしょう」と答える。見事に洗脳されている。

私自身過去20年間で出口調査を1度しか目撃していない。

しかも投票所でいちいち質問されて全員が正直に答えるだろうか。

この光景を疑問に感じない今の日本人は、もはや何をされても声を上げない状態にされているのだ。まさに茹でガエル状態といえる。

開票率０％での当選確実報道に全く疑問を抱かない今の日本人であるが、もしこれを自分の息子や娘の高校受験や大学受験に置き換えて考えてみればいかがだろうか？

自分の息子や娘が受験する。人生の大切な岐路である。

試験会場で試験官が残り時間を告げ、緊迫した空気が受験会場に流れていく。

「はい、終了。答案用紙を回収します」

と試験監督が受験生に告げて答案用紙が回収され終えたその刹那、次々とその場で試験監督が受験生を指さしながら、

「はい、あなたは合格」

「はい、あなたは不合格」

「はい、あなたは不合格」

「はい、あなたは合格」

と判定されたならどうだろうか。

受験日当日に自分の息子や娘が泣きながら帰宅してきたとする。

「どうしたの」と尋ねると息子や娘が試験監督から不合格だと判定されたと泣きじゃくりながら答えたならば、あなたはどうするだろうか？

受験当日に何故、合否が判断できるのかと「冗談じゃない」と怒るだろう。

そして受験会場に苦言を伝えたとして、もしも試験担当者が「ああ、採点するまでもなく合否判断はできます。我々はあらゆる予備校のデーター、常日頃の学習態度や伸び率、模擬試験の過去の結果と傾向を総合的に勘案して的確な分析を行い即座に合否判定が行えるのです」と答えたら、あなたはこれを受け入れるだろうか？

間違いなく憤慨するだろう。

しかしこれと全く同じ本質を選挙において為されても、今の日本人は誰も疑問すら抱かないのである。

見事なまでに洗脳されている。

もはや疑うことすらできない状態にまでされているのが、今の日本人なのである。

かつては理想として議論された時期もあった電子投票は、完全に証拠を封じられかねず、今となってはもっての他である。

前述したようにメディアで流せば毒を食べゴミすら買うのが今の日本人である。

世界で唯一のコロナワクチン６回目の接種に向かう日本人。

果たして今の正念場を凌げるのだろうか。

ＴＰＰ締結で日本憲法は無意味になった⁉
これから日本人はどうすればよいのか⁉

ＴＰＰが批准されるまでならば憲法をどうするのかという視野も意味があったのだが、あらゆる日本の法律よりも上位のＴＰＰを日本が批准してしまったことでＴＰＰ締結内容のほうが有効とされてしまう。

つまりこの現実を前にして日本人の憲法論議はこれまでの時代とは直面する風景が大きく変わってしまったのである。

護憲なのか改憲なのかという憲法論争はもはや意味を持たなくなっている。

つまり今後の日本人は以下の2通りの風景に直面することになる。

（1）ＴＰＰ締結内容に合わせた内容に憲法を改めていかなければならない状況

（2）日本国民に事実を伝えないまま憲法論議を重ね、現実の法案や日常の環境がＴＰＰ締結内容に沿って動かされていく。（※国会はもはや有名無実化している）

現実にＴＰＰが締結された２０１７年以降は、首を傾げるような法案が次々と提案されては可決されているではないか。

今にわかに風雲急を告げてきている状況下で、テレビや新聞だけを鵜呑みにして右往左往している大多数の日本人は凌げるのだろうか。

憲法上では国政は日本国民の厳粛な信託によるものだとされている。しかし、国民から選ばれたとされる国会議員が事実上、ディープステイトの意向を忖度して従って言動している現実では日本国民はどうするべきなのか。

もはや日本人が直接声を上げ、主権在民の自覚の中で言動することでしか日本人は存続できない状況へ押しやられつつある。

度々述べるが、与党も野党の多くももはや日本国民のほうを向いてはいない。次の選挙に落選しないためには支配階級ディープステイトとその資本下にあるメディアの意向に合わせて言動しているだけである。

もはや憲法が機能しなくされるか憲法が有名無実化されるか破壊されるかという極めて危うい現実を迎えている。

かつてのドイツでワイマール憲法が緊急事態条項の成立によりあっという間に破壊された状況と似ていると危惧するのは考えすぎだろうか？

今のままでは思考停止・他人任せ体質・メディア信仰の日本人が大多数のため、瞬く間に憲法が破壊されかねない状況である。

もっともらしい建前理論で国民が反対しにくい空気を醸成して隠された真意を知らせないような手法には警戒が必要なのだ。

支配階級のディープステイトが日本の政党や政治家、官僚を通じて目論んでいる緊急事態条項の成立は、

・国会を事実上廃止して内閣に強大な権限を与え独裁も可能にされる
・緊急事態が宣言されれば選挙が行われなくなる（※緊急事態には期限が定められない場合がありいつまで続くかすらわからない）
・今の時代のようなネットを通じた発言や言論が著しく規制を受けるようになり緊急事態下では政府批判や反対ができなくされる（※逮捕や処罰の対象にされる）
・かつての思想警察や特高警察のような国家権力の行使が再現されてしまう

・緊急事態下という理由で徴兵制が実現してしまう
・緊急事態下という理由で国民の資産が制限あるいは没収されてしまう
・あらゆる人権侵害が断行されてしまう（※今のようなコロナワクチンが更に接種強化、強制化されて多大な犠牲が生じてしまう）

という危険性が懸念されている。

今でも国家は形骸化して重要事項は日米合同委員会で決められているという現実がある中で、緊急事態条項が成立してしまえば公然と国民の人権・権利が制限される世の中になってしまうのだ。

１９４５年に日本が大東亜戦争に敗戦して以降、外圧があったにせよ日本国憲法により私たち日本人は基本的人権の尊重、表現の自由、海外での戦争の放棄を貫くことができた。

当初、日本を弱体化し非軍事化することを目的として戦争の放棄を憲法に制定した

GHQではあったが、時局の変化により朝鮮戦争が勃発し日本の軍事力を再び利用しようとした。しかし、時の日本の為政者が日本国憲法の憲法第9条を逆手に取ってのらりくらりとかわし続け日本の軍隊を戦地に派遣することを逃れてきた。

このように支配階級は、法も憲法も自分たちの都合の良いように活用する手段にすぎず、状況が変化すればいとも簡単に方針を変えて日本に再軍備化を促してきたのである。

これを時の日本の為政者は「あなたたちが日本の軍備を放棄させたのではないか」と壮大な建前を盾にして、日本の再軍備化や朝鮮戦争への加担を拒み続けた。

以降、日本は護憲派と改憲派とに分かれ、議論が白熱し憲法論議が繰り返されてきた。


ただ様々なイベント等で改憲にしろ護憲にしろ主張が繰り広げられる中で実際に日本国憲法の前文を含め、全ての内容を読み把握している識者は意外にもほぼ皆無に近かった。

ある東京都内のイベントで憲法を考えるシンポジウムが催された際、識者の1人が

「この中で日本国憲法が全体で何条あるのかご存知の方は挙手願います」と話を振った際に壇上の識者も含めて挙手する者はいなかった。

この光景に話を振った識者が怒りを滲ませ、「これが日本の憲法論議の実状ですよ。憲法全体を読んだこともないまたは全体で何条あるかも知らない状態で皆が改憲だの護憲だの主張している」と苦言を呈した姿が印象的だった。まさに日本の憲法論議はこのような状況がほとんどだといえる。

観念的な主張や教条主義的な主義主張が長らく繰り返され、主に憲法第9条の是非を巡る賛成と反対が時にヒステリックに繰り返されてきたともいえる。

勿論、戦争は回避しなければならない。

支配権力による思惑で戦争に巻き込まれ、阿鼻叫喚の中で犠牲になっていくのは常に戦闘能力のない一般の老若男女である。

また憲法に謳っているいないにかかわらず、国家には自然権として正当防衛が存在することは自明の理である。

仮にどこかの外国が軍事力をもって日本の領土や領海、領空を侵攻してきたり日本本土を攻撃した場合は、これを防ぐための正当防衛は当然認められるものであり議論の余地はない。そのための自衛の組織は存在することを否定するものではない。

しかし状況はもはや、改憲なのか護憲なのかという従来の憲法論争とは異なる様相を見せている。護るとか変えるという視座ではなく、憲法そのものが機能しないよう促される危険性が生じてきたのである。

それが支配階級が狙う世界統一政府の下での統制社会であり、批判や反対を許さない仕組みである。そして政府批判をする者や従わない者を排除することも可能になる仕組みとしての緊急事態条項なのである。

そもそも日本人にとって憲法とは何なのか。

歴史上では聖徳太子の定めた十七条憲法が日本人にとっての最初の憲法といわれている。

十七条憲法は心構えや方針、道徳、理念を謳ったものであり、大意をそれぞれに見てみる。

第一条　和を大切にしていさかいをしないように
第二条　篤く仏教を信仰せよ
第三条　君主の言に臣下は従え
第四条　民を治める肝要は礼法を保つこと
第五条　訴訟は公平に裁け　賄賂は受けるな
第六条　人の善行は隠さず知らせ悪事は改めさせよ
第七条　人にはそれぞれ任務があり職掌《しょくしょう》を守り権限を乱用するな
第八条　官僚は朝早く出仕し夕方には早く退出せよ
第九条　信は人の行うべき道の源である　何事も真心を込めよ
第十条　人が自分と違ったことをしても怒らないようにせよ　衆人の意見を尊重し
その行うところに従え
第十一条　政務に携わる官人の功績や過失をはっきりせよ
第十二条　国司や国造は百姓から税をむしり取らないようにせよ
第十三条　それぞれの官司に任じられた者はその職務内容を熟知せよ
第十四条　群臣や百寮は人を羨んだり妬んではならないそれにより聖人は現れず賢人

や聖人を得なくては何により国を治めるのか
第十五条　私心を去って公の事を行うのが臣の道である
第十六条　民を使役するには時節を考えよ　冬に民を使役し春から夏にかけては農耕や養蚕の時期のため民を使役してはならない
第十七条　物事は独断で行ってはならない　必ず皆と論じ合うようにせよ　些細なことは必ずしも皆に諮らなくてもよいが大事を議する場合は皆で話し合えば道理にかなったやり方を見出せる

このような概要である。

特に第十七条は明治憲法の「万機公論に決すべき」という理念に共通している。とかく些末な議論に陥りがちな憲法論争だが、憲法とはそもそもは世の中を治めるための大まかな方針や理念のようなものなのであろう。

やがて律令国家を経て武家政権になると、鎌倉幕府の御成敗式目が定められた。戦国期には各武家で家訓や法度が定められ家臣は君主を中心に掟に従い、領地をまとめながら統治が行われた。

徳川幕府の時代には武家諸法度や禁中並公家諸法度を武家や朝廷の定めとした。

やがて黒船来航と共に西洋社会と遭遇した日本は、西洋と伍するために近代国家に編成し直す必要に駆られ、明治憲法が定められるようになる。

明治憲法の制定に先立ち現在のドイツの前身であるプロイセンに近代憲法を学びに行った伊藤博文は、師事したグナイストから「日本人には憲法はまだ１００年早い」と言われている。

西洋社会との遭遇により近代化を急いだ日本として憲法とは、自らの内面から湧き出た概念というよりは、西洋に学び形を導入して近代国家及び帝国議会の創設へ至ったといえる。

古代から十七条憲法に見られるような規範としての姿は存在した。

押し寄せる欧米の植民地政策に最後まで抗ったのが日本であり、その結果として大東亜戦争に到り、力で敗戦したことにより欽定憲法の明治憲法から日本国憲法へと生まれ変わったことで主権が天皇から国民へと移った。

主権在民、国民主権である。

しかし今日においてなお、日本国憲法で謳われている主権在民、国民主権を私たち日本人が使いこなせているかと尋ねられれば、甚だ心もとないといわざるを得ない。

憲法が無視されたり蔑ろにされた事例は、ヒトラーの時のナチスドイツに限らずアメリカでも存在する。

フランクリン・ルーズベルト大統領は、戦争に反対だったアメリカ国民を戦争支持に持ち込むために謀略を尽くし、日本による真珠湾攻撃も誘導したことが明らかになっている。ルーズベルト大統領の顧問団は当時約12万の日系アメリカ人を捕虜として収容することを決定したが、この行為はアメリカ合衆国憲法をなおざりにするものであった。ルーズベルト大統領の魂胆がよく見える。

この時、日系人が強制収容所に送られたことに対して、アメリカ人名士やアメリカの憲法学者らが多く怒りの声を上げた。人道的に大問題であると同時にアメリカ合衆国憲法を無視した行動だったからである。

フランクリン・ルーズベルト大統領は第二次世界大戦への参戦を強く望み、反戦を唱えるアメリカの人々を抑え強引に強行したのである。この時、日系アメリカ人は逮捕状もないまま逮捕された。

そして強制収容所に収容された日系人は全員、何が罪かも告げられず（裁判制度があるにもかかわらず）裁判にもかけられず、ただ強制収容されたのだ。時のアメリカ大統領が合衆国憲法を無視して堂々と理不尽な行為をしたのである。

権力は暴走すれば憲法を蔑ろにし、異論を唱える人々を逮捕し強制収容する危険性を今でも孕んでいる。

そのような暴虐がいつ再現され復活するかわからないのである。「自由の国」といわれたアメリカでもつい80年程前に堂々と行われた歴史事実なのだ。

歴史は繰り返されることを踏まえれば警戒が必要である。

日本にも独裁者が現れるのか――ヒトラーから歴史を考える――

大多数の国民が思考停止状態になっている中で、気が付けばかつてのヒトラーのような独裁政権が日本でも誕生するリスクがあるといえば反論する人々が少なくないだろう。

しかし、憲法が形骸化し特例が適用されたり非常事態が作り出された時には、権力は法を超えることもあれば新たに非常事態向けの法を作り出す。人々が気が付いた時には手遅れとなる。

もっと言えば支配階級が政府に命じて非常事態を作り出し、政府を動かして人々を支配下に置く。これが歴史の常ではないか。

少なくともフランス革命以降の地球の様々な戦争や革命は、欧州の奥の院に座す支配階級が全て秘密裏に起こしたものであった。したがって今後も何が起こされようとしているのかを歴史に照らし合わせて警戒することが必要である。

非常事態または緊急事態、それは戦争や大災害あるいはパンデミックや天変地異、革命のような反政府運動などである。

そのような非常事態または緊急事態に際しては、国家の存立を守るためと称して国家権力が人権や権力の分立を一時的に停止し、緊急措置を取るようにできる条項を作る場合が過去にあった。それが緊急事態条項である。

かつてヒトラーが台頭したワイマール共和国は１９１８年から１９３３年まで存在した。緊急事態条項により大統領が大統領緊急令を発令できると定められていたため、時代状況や政治背景によりヒトラーが勢力を持ち始めると、ワイマール共和国で様々な法律の代わりに大統領緊急令が頻繁に発せられるようになった。この時にワイマール共和国の大統領は元軍人ビンデンブルクであったが、大統領緊急令を度々発令し議会制民主主義が形骸化し有名無実化していった。そのような状況で少数政党であったナチ党や共産党が政府批判政党として勢力を伸ばしていく状況になり、ビンデンブルク大統領はナチ党のヒトラーを首相に任命した。

時代とは恐ろしいもので、この状況下でヒトラーが首相として大統領緊急令を自在に活用するようになりナチ党の議会での占有議席は33・１％であったにもかかわらずヒトラーが実質的に国家を支配し動かしていくようになったのだ。

今の日本でもしも緊急事態条項が成立したならば、かつてのワイマール共和国のように憲法が形骸化されていかないと言い切れるだろうか？

今の日本は日本政府が日本国民のために機能していないことに少なからぬ日本人が気付き始めている。日本政府や日本の閣僚、日本の政治家は欧米支配階級の顔色をうかがいながら言動しているのか。その構造の中でもし緊急事態条項が成立し、日本政府が緊急事態を宣言させられたならどうなるだろうか？

緊急事態の状況下で支配階級の意を受けて、日本政府が日本国民を支配管理するために緊急事態条項を適用し始めたらどうなるのか。

物事は全てが善意で動くとは限らない。

一瞬にして言論統制や人権の抑圧、権利の制限が生じ、かつての暗黒社会に逆戻りになってしまう。

勿論、これが杞憂であってほしい。

しかし現在は楽観できない状況下でもある。

世界全体がどの方向に向かって流れているのかを見た時に、決して過去のことだと済ませるわけにはいかないのだ。今ではそのヒトラーもイギリス諜報部により育てられていたことが明るみになっている。

欧米支配階級がよく用いる双頭戦略だったのだ。

敵を作り出し世界を二分して戦わせる。

何も知らされていない各国政府以下全ての人々は、本気になってそれぞれの陣営で戦ってきた。

そして世界中が敵味方に分かれて人々が殺し合いに倒れていく様を、支配階級は欧州の古城で葉巻を吹かせながら高みの見物をし、それぞれの国に巨額な融資を行い利子収入を得て、また双方に武器を売り込み巨万の富を築いてきた。戦争により廃墟と化した市街地には復興需要が生じ、支配階級の資本下のゼネコンが巨利を得る。

支配階級にとって戦争は巨万の富を築く手段にすぎないため、定期的に戦争が仕組まれていく。

そのための体制と環境整備が行われていく。

この流れに気付き歯止めをかけなければならない。

一歩間違えると日本でもかつてのヒトラーのような存在が作り出される危険性がある。それを阻止するには国民が声を上げ社会的に言動していくことである。

今が極めて重要な局面なのである。

都合よく戦争に巻き込まれないために

支配階級はあの手この手を使って日中戦争を引き起こそうとしているので、絶対にこれに乗らないようにしなければならない。

クリントン政権の時の国防次官補だったジョセフ・ナイ氏は、近年まで日本を操っていたマイケル・グリーン氏やリチャード・アーミテージ氏らと共にジャパンハンドラーズと称された一人だったが、そのジョセフ・ナイ氏が以前に発表した「対日超党派報告書」という論文がある。

その論文の主な内容は、

(1) 東シナ海、日本海にはサウジアラビアを凌駕する石油があり、アメリカはなんとしても入手しなければならない。

（２）そのチャンスは台湾と中国が軍事衝突を起こした時である。日米安保条約に基づき日本の自衛隊も参加させる。中国軍がアメリカと日本の補給基地である本土を攻撃し、日本人が逆上する。かくして本格的な日中戦争が始まる。
（３）アメリカ軍は徐々に手を引き、自衛隊と中国軍の戦争となるよう誘導する。
（４）アメリカは日中戦争が激化したところで和平交渉をしてアメリカ軍中心で東シナ海、及び日本海でのＰＫＯ活動を行う。
（５）日本近海でアメリカ軍が軍事的・政治的主導権を取得し、アメリカエネルギー産業が圧倒的な立場で開発を司る。
（６）この前提として自衛隊が海外で自由に軍事活動できるようにする。
というものである。

実にしたたかである。

30年近く前のジョセフ・ナイ氏による論文だが、今まさに岸田文雄首相を通じて実現させようとしているように見える。

日中戦争は結局、アメリカを通じた支配階級の巨利のためである。それを誘発するために先ずは台湾有事が仕掛けられる。

絶対に乗ってはならない。

この現実から尖閣諸島の意味が見えてくる。

尖閣諸島は日本の領土である。

1895年に日本政府が10年かけて調査をして、どの国にも属さない事実を確認した上で正式に日本領に編入した。この時に日清戦争で戦った清から反論はなかった。以降30年間、200人以上の日本人が尖閣諸島に暮らし工場も建てている。

1919年に尖閣諸島沖で中国船が難破したが、この船員を尖閣諸島に暮らす日本人が救助している。この時に中華民国から送られた感謝状には「日本帝国沖縄県八重山郡尖閣列島」と明記されている。

1951年のサンフランシスコ講和条約により沖縄県と尖閣諸島はアメリカの統治下になった。

1958年に中華人民共和国が発行した地図には尖閣諸島と明記され日本領とされているのだ。

しかし、1968年に国連が尖閣諸島沖で石油を発見してから、中国が急に領有権を主張し始めた。

何が狙いか露骨すぎるのだ。

また田中角栄首相の時に日中国交正常化が行われたが、この当時の日中両政府は国交正常化を優先したために尖閣諸島の領有権については触れないようにした。

しかしアメリカがしたたかになり、それまでは全く触れなかった尖閣諸島に「中立を保つ」として故意に日本と中国に争いが生じるように仕掛けたのだ。

アメリカもしたたかである。


もともと尖閣諸島は沖縄県である。

サンフランシスコ講和条約により沖縄県と尖閣諸島がアメリカの統治下にされ、やがて沖縄県が日本に返還された際に、当然ながら尖閣諸島も沖縄県として日本に返還されたことになる。

当初はアメリカから見れば全く価値のない岩礁のような尖閣諸島は放置していたが、サウジアラビアを上回る海底油田が尖閣諸島沖に見つかるや否や、急に石油利権欲しさに赤裸々に態度を変えたということである。

何れにしてもまずは海底資源欲しさに仕掛けられようとしている台湾有事や日中戦争に嵌らないように皆で冷静に過ごす必要がある。海底油田の利権欲しさのために日本が利用されて殺し合いまでさせられることは許し難い。

また自分たちで戦争を誘発しておきながら和平交渉を切り出しＰＫＯ活動を展開する構想も完全なマッチポンプである。利益のためならそこまでするという魂胆がジョセフ・ナイ氏の論文から浮き彫りになっている。

政治家は支配階級の代理人であり、メディアは支配階級や支配階級傘下の企業の広報のため、私たち一般国民が成熟し、国民主権に立脚した言動をすることでしか日常を守る道はないように思える。

政治家に任せる、官僚や政府、メディアを鵜呑みにするのではなく、皆が自分のこととして社会的に言動することが日本を存続させ未来に繋げていく道だといえる。

支配階級は利権欲しさのために戦争も仕掛ける。

そのような邪悪な思惑が流れている中で勇ましい憲法改正論議やこれに付随した緊急事態条項案がいかに危険な要素を孕んでいるのかは想像に難くない。

戦争を仕掛けられ緊急事態だと政府が宣言すれば、民主主義は封じられ権力が暴走しかねない。都合よく日本が利用され、国民が阿鼻叫喚の苦しみの中に突き落とされる危険が増すだけである。

人としての尊厳を失わないために

リロイ・ジョーンズというミュージシャンが述べている次の内容が、まさに今の日本人を端的に表している。

奴隷は奴隷の境遇に慣れすぎると、驚いたことに自分の足を繋いでいる鎖の自慢をお互いに始める。

どっちの鎖が光っていて重そうで高価かな、などと。

そして鎖に繋がれていない自由人を嘲笑さえする。

だが奴隷たちを繋いでいるのは実は同じたった1本の鎖にすぎない。

そして奴隷はどこまでも奴隷にすぎない。

過去の奴隷は自由人が力によって征服されやむなく奴隷に身を落とした。

彼らは一部の甘やかされた特権者を除けば奴隷になっても決してその精神の自由までをも譲り渡すことはなかった。

その血族の誇り、父祖の文明の偉大さを忘れず隙あらば逃亡し、あるいは反乱を起こして労働に鍛え抜かれた肉体によって肥え太った主人を血祭りにあげた。

現代の奴隷は自ら進んで奴隷の衣服を着、首に屈辱のヒモを巻き付ける。

そして何より驚くべきことに現代の奴隷は自らが奴隷であることに気付いてすらいない。

それどころか彼らは奴隷であることの中に自らの唯一の誇りを見出しさえしている。

……まさに今の大多数の日本人ではないか。

何をされても声を上げない。

権威に従順で、ひたすらメディアが流した情報のみを信じて疑わない。

メディアが流せば毒を食べゴミを買う。

そして周囲と同じ歩調でなければ不安と恐怖に駆られてひたすら周囲に同調する。

支配階級から見ればこれ程に使い勝手のよい奴隷はいないだろう。

仕掛けられた虚構に気付き社会的に言動しない限り、日本はひたすら弱体化させられていく。

声を上げることが全ての始まりとなる。

今こそ内心の声と悠久の歴史の歩みに耳を傾け自らを見失わず、尊厳をもって歩んでいこうではないか。

ほんの少しのきっかけで気付き目覚めれば、必ず太古からの先人たちの息吹を背に受けて陽はまた昇るものと信じている。

あとがき

もしもこの地球上に楽園があるとするならば、私は日本列島こそが地上の楽園だと感じている。

美しい四季、海の幸にも山の幸にも恵まれ豊かな森林環境と山岳地帯に渓谷美も備わり、美しい田園風景が穀倉地帯を形成している。

豊かな漁業資源に豊饒で澄んだ水資源、火山国であることもあり豊富な鉱物資源に恵まれている。

あらゆる自然の要素を全て備え、美しい四季があり、豊饒の大地と美味しい食材が実を実らせる。

この環境を楽園といわずして何と呼ぶのだろうか。

地球全体を見渡せば荒野や砂漠地帯が多く、その地帯では水こそ貴重品で宝石よりも価値がある。

　このような環境、地政学的な立ち位置に生きている日本人が思いの他、日本列島の価値に気付いていないのではないだろうか。

　余りにも情報を与えられず知らされない環境に誘導された日本人から日本列島を搾取するべく、虎視眈々と隠れて様々な仕掛けが政治的に為されている事態は由々しいことであり、日本人が今何をされているのか気付く必要がある。

　端的に言えば日本列島の価値に気付いている支配階級が様々な論理を構築しながら人々を誘導し、気が付けば日本列島から日本人をいなくしたり少数派に追い込み自分たちが手にしようとしているのである。

　孫子の兵法にもあるように、「敵を知り己を知らば百戦これ危うからず」であり、私たちは日本をとこしえに継承するためも相手と自分たちそのものを知らなければならない。

　一人でも多くの方々と良い情報や知識を共有して、より良い環境になればと願うのみである。

　情操・情緒豊かな、四季美しく自然の恩恵を受けて、人々が足るを知りながら豊かな心で暮らしていく日本に戻ってほしいと願っている。

良い文学、良い音楽、良い芸術、健全なスポーツ、健やかな心身が感性豊かな日常を育み、それらは日本国憲法に保証されている言論の自由、表現の自由に立脚して存在する。豊かな感性の上に道徳経済が樹立できるのであろう。

今は一歩間違えればその全てが制限もしくは奪われかねない状況下にある。悪魔に魂を売ってでも利益を得たいというような悪魔経済、サタン信仰によるサタニズムに包まれているが、良き日本として道徳経済そして世の人々のためになることを成して、皆が豊かになろうという経世済民による世を確立できればと願いつつこの著の筆を進めた。

とこしえに弥栄《いやさか》な世を願いつつあとがきの締めとしたい。

この書籍が少しでも皆様のお役に立てるなら光栄である。

２０２３年６月初夏の日に

木村　正治

木村正治　きむら まさはる
1996年 同志社大学文学部社会学科 卒業。
民間企業を経て2003年から2011年まで東大阪市議会議員を2期8年間務める。2011年以降は各団体で活動をし、現在は各地から要請を受けて社会情勢や政治、歴史、時事問題などの講演会を行っている。

船瀬俊介　ふなせ しゅんすけ
1950年、福岡県田川郡添田町生まれ。
九州大学理学部を経て上京し、早稲田大学第一文学部・社会学科卒業。学生時代から消費者・環境問題に関心を抱く。日本消費者連盟に出版・編集スタッフとして参加。『あぶない化粧品』シリーズなどを執筆する。1986年、独立。以来、「医」「食」「住」問題を中心に、執筆、評論、講演活動を続けている。「火の文明」から「緑の文明」への移行が持論である。有為の同志を募り毎月「船瀬塾」を主宰。

緊急出版

許すな?!「緊急事態条項」

〝台湾有事〟!! こうして、あなたは〝殺される〟

第一刷 2023年10月31日

著者 木村正治

解説 船瀬俊介

発行人 石井健資

発行所 株式会社ヒカルランド

〒162-0821 東京都新宿区津久戸町3-11 TH1ビル6F

電話 03-6265-0852 ファックス 03-6265-0853

http://www.hikaruland.co.jp info@hikaruland.co.jp

振替 00180-8-496587

本文・カバー・製本 中央精版印刷株式会社

DTP 株式会社キャップス

ISBN978-4-86742-306-6

本といっしょに楽しむ イッテル♥ Goods&Life ヒカルランド

天然のゼオライトとミネラル豊富な牡蠣殻で不要物質を吸着して体外に排出！

水に溶かして飲む緑茶味のパウダータイプと、さっと飲めるカプセル状の錠剤の２タイプ。お好みに合わせてお選び下さい。

掛川の最高級緑茶粉末がたっぷり入って、ほぼお茶の味わいです。パウダー１包に２カプセル分の「Gセラミクス」が入っています。ペットボトルに水250mlとパウダー１包を入れ、振って溶かすと飲みやすく、オススメです。

パウダータイプ

コンドリプラス・パウダー 10
(10 本パック)
4,620 円（税込）

コンドリプラス・パウダー 50
(50 本パック)
23,100 円（税込）

原材料：緑茶粉末、焼成カルシュウム（国内製造）、食物繊維（グアガム分解物）、L-アスコルビン酸、ヘマトコッカス藻色素（アスタキサンチン）、ドライビタミンD3

ご注文はヒカルランドパークまで TEL03-5225-2671　https://www.hikaruland.co.jp/

本といっしょに楽しむ イッテル♥ Goods&Life ヒカルランド

CMCのテロメア活性化とラジウムのホルミシス効果で
細胞を活性化！ 冷え対策にバッチリ‼

CMC&Hi-Ringo スーパーストール

販売価格：33,000円（税込）
●カラー：ネオパープル　●サイズ：幅約86㎝×長さ約139㎝　●素材：ナイロン80％、ポリウレタン20％
※模様になっているプリント面を、なるべく広い範囲で体に当てるようにご使用ください。

ゼロ磁場を発生させ、奇跡の新素材と言われるCMC（カーボンマイクロコイル）と、ラジウムのもつ体細胞を活性化させるというホルミシス効果を併せたちょっと欲張りなストール。冷えたな、と感じたら、大きめのストールでしっかりと体を包み込めます。大判なので、ひざ掛けにしても布がたっぷり余ります。ティッシュボックスより小さく折り畳めるので、持ち運びにも大変便利。どこへでも携帯可能です。

【お問い合わせ先】ヒカルランドパーク

使い方無限で万能、電池も不要
FTW生活はこのプレートから!

FTWビューラプレート

■ 55,000円（税込）

●素材：FTW セラミックス　●サイズ：直径144㎜

●製造国：日本

※直火で加熱することで、プレートの色が稀にシルバーに変色することがありますが、品質や効果には影響ありません。

FTW 製品を使うのは初めてという方は、多彩な使い方ができるこの「FTW ビューラプレート」がオススメです。六角形（六芒星）、五角形（五芒星）といった神聖図形をあしらった形状が宇宙と共振し、宇宙エネルギーとも例えられる電子を集めて遠赤外線を超える周波数を放射します。以下にあげるように、さまざまなシーンでその効果をご体感いただけるでしょう。

こんなにある！　FTW ビューラプレートの使い方

①調理の際に、お鍋や電気釜の中に直接入れて酸化・糖化を抑制

②料理と一緒に電子レンジへ投入しておいしさアップ

③飲み物、食べ物をプレートの上に置いて電子の作用でおいしく

④発酵食品をつくる時に、一緒に入れる（微生物が宇宙エネルギーと共鳴）

⑤椅子や車の座席に敷いたり、お腹や腰に巻く（プラスに帯電した箇所がマイナス電子により還元）

⑥お風呂に入れて温泉のように温まるお風呂に

⑦植木鉢の土の上に置いて成長を促進

FTW を使った抗酸化・抗糖化を検証

マーガリンを溶かした鍋を煮詰めた結果、「FTW ビューラプレート」を入れた鍋（左）は酸化が起こらずマーガリンは透明のまま。一方、「FTW ビューラプレート」を入れてない鍋（右）はマーガリンが黒ずんでいきます。

白砂糖を溶かした鍋を煮詰めた結果、「FTW ビューラプレート」を入れた鍋（左）は糖化が起こらず白砂糖は透明のまま。一方、「FTW ビューラプレート」を入れてない鍋（右）はカラメル化して黒ずんでいきます。

本といっしょに楽しむ イッテル♥ Goods&Life ヒカルランド

いつでも気軽にコロコロ♪
宇宙エネルギーでリフトUP&全身ケア

FTWフィオーラ

■ 41,800円（税込）
●素材：FTW セラミックス
●本体サイズ：全長191㎜ ●重量：63.2ｇ ●セット内容：フィオーラ本体、専用袋、イオニスジェルウォーターミニ（30㎖）、ビューラクレンジング&トリートメントミニ（80㎖）

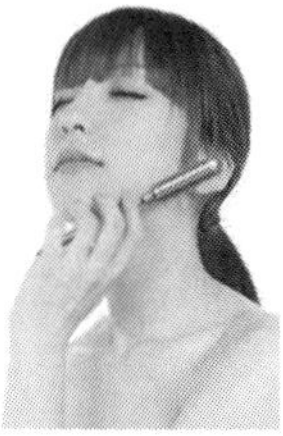

女性を中心に絶大な支持を集めているのが、こちらのビューティーローラー「FTW フィオーラ」です。お顔や体にコロコロ転がせば、空気中の電子を誘導し、人体に有益な４～26ミクロンの波長を効率よく放射。電子と遠赤外線のFTW２大効果がお肌に浸透します。気になるお顔のシミやシワ、浮腫みのケアやリフトアップで、実年齢より若く見られるようになることも期待できます。さらに痛みやコリも解消し、美容から体調不良まで女性が抱えるさまざまな悩みに応えてくれます。もちろんその健康効果から男性やお子さま、ペットへの使用もオススメです。

さらに、「FTW フィオーラ」には、洗顔料「ビューラクレンジング&トリートメント」と、スキンケアアイテム「イオニスジェルウォーター」をセット。これらには日本古来より伝わる３つの薬草、皮膚トラブルに絶大な作用がある「イタドリ」、殺菌力と活性酸素を除去する働きの「柿の葉」、疲労回復効果や殺菌力の高い「よもぎ」を特別な比率でブレンドした発酵エキスを使用。さらに自然界にわずかにしか存在しないトレハロース「復活の糖」を配合。精製水の代わりにFTW セラミックスで活水した水を使用し、「FTW フィオーラ」と周波数が揃うことで、より細胞に届きやすく、エイジングケアアイテムとしてさらなる相乗効果が得られます。まずは一度他の化粧品を一切使わずに３日間お試しになってみてください。

※セットの化粧品はミニサイズとなります。追加でお買い求めいただくこともできます。

こんなにすごい！
FTW フィオーラで期待できる効果

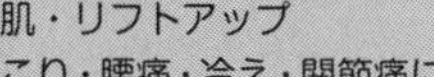

◆美肌・リフトアップ
◆肩こり・腰痛・冷え・関節痛に
◆切り傷・擦り傷・炎症に
◆ストレスに
◆美しい体型をサポート
◆食材の熟成（肉、魚、野菜、果物、ワインなどのお酒）

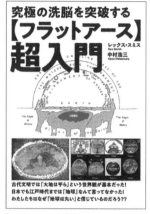

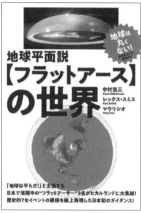

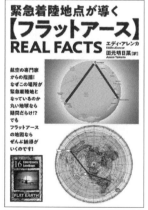

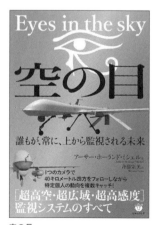